Seebruck
Chieming
Traunstein
Teisendorf
Freilassing
Neukirchen
AB-München Salzburg
Ainring
Siegsdorf
Bergen
Anger
SALZBURG
Piding
15
Hochfelln
Ruhpolding
Inzell
Hochstaufen
12
quartstein
Hochgern
Bad Reichenhall
13
Rauschberg
Untersberg
Salzburger
Hochthron
Hörndlwand
14
Bayer. Gmain
8
Berchtesgadener Hochthron
E R
A L P E N
NSG
11
Winkl
Dürrnbachhorn
Unter-jettenberg
Hallein
Sonntagshorn
NSG
Bischofs-wiesen
Seegatterl
Winklmoos
Steinpaß
Roßfeld
Berchtesgaden
Kuchl
Reiter Alm
Kehlstein
Loferer Alm
Gr. Häuselhorn
Schönau
Fellhorn
Steinplatte
Ramsau
Golling
7
Hoher Göll
Stadelhorn
Königssee
4
Lofer
6
Nationalpark
Hohes Brett
Hochkalter
5
Paß Strub
Watzmann
10
Kirchberg
Hinterhorn
Weißbach
Gr. Ochsenhorn
Gr. Hundstod
3
Steinernes Meer
Fieberbrunn
Birnhorn
Breithorn
9
2
Schönfeldspitze
Leogang
Saalfelden
Hochkönig
1
A L P E N
Saalbach
Hinterglemm
N
Zell a. See
Zeller See

Heinrich Bauregger

Bayerische Hausberge

Die schönsten Touren zwischen Berchtesgaden und Füssen

Bruckmann

INHALTSVERZEICHNIS

INHALTSVERZEICHNIS

Am Breitenstein

Die Törlspitzen im Kaisergebirge

INHALTSVERZEICHNIS

Die Tegernseer Hütte

Blick vom Gipfel des Heimgarten nach Südwesten

INHALTSVERZEICHNIS

Am Fuße des Geiselsetins

EINFÜHRUNG

Unterwegs in den Bayerischen Hausbergen

Nicht immer erwarten uns so gut angelegte Bergwege wie hier beim Anstieg zum Kramer in den Ammergauer Alpen. Deshalb gehört gutes Schuhwerk mit einer griffigen Sohle und hohem Schaft zur Grundausstattung. Turnschuhe können – obwohl immer noch sehr beliebt bei Bergwanderern – kein Ersatz dafür sein. Ein umgeknickter Knöchel kann schneller Probleme bereiten als einem lieb ist, besonders wenn man alleine unterwegs ist. Bleibt die körperliche Bewegung aus, kühlt man recht schnell aus. Bei Touren im Herbst oder bei einsetzendem Regen kann dies in weniger als einer halben Stunde passiert sein. Deshalb auch immer warme Ersatzkleidung bzw. einen Biwaksack (dieser sollte den Rucksack gar nie verlassen) mitnehmen. Ratschläge, die bei schönem Wetter zum Belächeln geradezu einladen …

Überall, wo es Berge gibt, werden diese scheinbar zwangsläufig auch klassifiziert: in die höchsten, formschönsten, einsamsten, blumenreichsten – und was für Kriterien es dafür sonst noch gibt. Die Vielfältigkeit der Alpen wird diesen Ansprüchen und Wünschen in vieler Weise gerecht. Und so hat sich jeder Gebirgsort, je nach Neigung, „seinen Hausberg" zurechtgelegt, der von den Einheimischen mehr oder weniger häufig auch bestiegen wird. Für die Flachländler – und seien sie noch so nah an den Bergen dran wie z. B. die Rosenheimer, Münchner und Augsburger – ergibt sich daraus natürlich ein Problem, denn auch sie würden gerne über ihre eigenen „Hausberge" verfügen. Da dies aus nahegelegenen Gründen nicht geht, reklamieren sie all diese schönen Berge halt im gesamten für sich. Bayern hat zwar nur einen bescheidenen Anteil an den Alpen – doch der kann sich sehen lassen. Im Osten ziehen die Berchtesgadener Alpen eine großen Teil der Aufmerksamkeit auf sich, als Vorboten des Hochgebirges. Dann die Chiemgauer Alpen, deren bewaldete Kuppen nur im Gipfelbereich von einigen Felszacken überragt werden, die mit ihren zahlreichen Almen und schönen Wanderwegen ein Dorado für den gemäßigten Bergwanderer darstellen. Unterbrochen durch den tiefen Einschnitt des Inntales setzen sich die bayerischen Alpen fort in der abwechslungsreichen Berg- und Seenlandschaft der Schlierseer und Tegernseer Berge und im Isarwinkel, bis sie in den Felszinnen des Wettersteingebirges kulminieren. Die stilleren Ammergauer Alpen bilden dann das Bindeglied zu den steilen Grasbergen der Allgäuer Alpen.

Bergklassiker und Normalwege

Dieses so reichhaltige Angebot wurde in den letzten hundert Jahren von den Bergwanderern und Bergsteigern in vieler Hinsicht wahrgenommen, wobei sich eine Reihe von Bergzielen zu wahren „Klassikern" entwickelt haben. Selbstverständlich haben sich die bayerischen Bergwanderer nicht streng an die politischen Grenzen gehalten und leicht erreichbare Gipfel in den angrenzenden Loferer und Leoganger Steinbergen, im Wilden und Zahmen Kaiser, im Rofangebirge und im Karwendel sowie in den Lechtaler Alpen mit in ihr Programm aufgenommen. So ist es durchaus berechtigt, von „Bayerischen Hausbergen" zu sprechen, wenn auch einige dieser Tourenziele auf österreichischem Gebiet liegen. Die Fülle der attraktiven Gipfel zwischen Berchtesgaden und Füssen – die von Watzmann und Zugspitze angeführt werden – machte eine Auswahl natürlich unerläßlich. Neben klassischen Anstiegen, die „man einfach gemacht haben muß", werden einige durchaus stille Ecken am Alpenrand vorgestellt. Beschrieben werden in der Regel die sogenannten Normalwege auf die Gipfel, das heißt die am wenigsten schwierige Route, wobei Varianten und Anschlußrouten einbezogen werden, so daß sich vielfach interessante Rundtouren ergeben. Außerdem wurde die Auswahl so zusammengestellt, daß an den meisten Routen eine Unterkunftshütte zu finden ist, eignen sich doch zahlreiche der hier vorgestellten Ziele zu wochenendfüllenden Unternehmungen. Die in diesem Band präsentierten Gipfel sind integriert in eine touristische Infrastruktur, die neben einigen Bergbahnen und zahlreichen Schutzhütten über ein Netz an markierten Bergwegen verfügt. Dies sollte jedoch nicht dazu verleiten, Bergtouren ohne Vorinformationen und einer adäquaten Ausrüstung anzugehen. Bergwandern ist eine faszinierende Möglichkeit, die Vielfalt unserer heimischen Bergwelt zu entdecken und zu erleben, doch ist diese mit Risiken behaftet. Darum sei es an dieser Stelle nochmals wiederholt: Eine Bergtour ist erst dann eine runde Sache, wenn man heil wieder „unten“ ankommt.

Nur wenige der hier vorgestellten Touren weisen einen derart überladenen Schilderbaum auf, wie hier auf der Neureut oberhalb von Tegernsee. Sicher ein Indiz dafür, daß diese Wanderecke häufig frequentiert wird. In der Regel befinden sich am Ausgangspunkt der Route weniger auffällige Hinweisschilder mit Angabe des Endpunkts: wie Hütte, Gipfel, Übergänge. Bei Wegen, die vom Alpenverein unterhalten werden, findet man zusätzlich die Wegnummer. Unterwegs müssen wir mit Farbmarkierungen (in der Regel rotweiß bzw. rot, selten blau oder gelb) vorliebnehmen. Bei selten begangenen Routen hilft uns an kritischen Punkten ein Steinmann oder eine Markierungsstange weiter. Den Orientierungssinn etwas zu schulen, ist durchaus von Vorteil; selbst auf ausgeschilderten Wegen kann man leicht auf die falsche Route gelangen und dabei viel Zeit verlieren.

Einige praktische Tips

- Die der Tour entsprechende Ausrüstung einpacken (knöchelschützende, feste Schuhe mit Profilgummisohle, Anorak, Biwaksack, Proviant, Erste-Hilfe-Set, Wäsche zum Wechseln)
- Einschätzung des eigenen Könnens und der bisher gemachten Erfahrungen. Möglichst nicht alleine gehen. Immer Nachricht über das Tagesziel hinterlassen (z. B. Eintragung ins Hüttenbuch)
- Auch bei bestem Wetter widrige Verhältnisse bzw. einen Wetterumschwung in Betracht ziehen
- Bei Gewitter Drahtseile, Eisenleitern, Gipfel, Grate, freistehende Bäume meiden
- Gefahren besser überschätzen, als sie nur einmal zu unterschätzen
- Ohne Leistungszwang die Bergwelt genießen.

Um die eigene „Leistung“ am Berg besser beurteilen zu können, hier die Grundlage für die Angabe der Gehzeiten: In der Ebene werden bei durchschnittlicher Gehleistung 4 Kilometer pro Stunde zurückgelegt, für den Anstieg können 400 Höhenmeter pro Stunde gerechnet werden, wobei Streckenlänge und Höhenunterschied gegebenenfalls kombiniert werden müssen.

Und noch eine Bitte

Um das Ökosystem Alpen etwas zu entlasten, bleibt nur der Wunsch anzufügen, daß möglichst viele Bergwanderer das Angebot der öffentlichen Verkehrsmittel in Anspruch nehmen, um zum Ausgangspunkt ihrer Tour zu gelangen. Bei jedem Tourenvorschlag wurden dazu entsprechende Hinweise gegeben.

Über drei Viertel der Touren sind für den durchschnittlichen Bergwanderer gedacht, und nur etwa ein Viertel richtet sich an den erfahrenen Bergsteiger, der neben Ausdauer und Orientierungssinn auch über Schwindelfreiheit und eine gewisse Kletterfertigkeit verfügt. Eine Übersicht am Ende des Buches soll bei der Auswahl eine Hilfe sein.

Doch wer sich Zeit läßt für die reizvollen Dinge am Weg, die Blumen, die Tiere, die Menschen und die vielfältigen Stimmungen in der Natur, wird gerade in den Bayerischen, Salzburger und Tiroler Alpen ein Betätigungsfeld finden, das für ein ganzes Leben reichen kann. Schon mancher, der sich fürs Wandern als Lebensform entschieden hat, ist ein zufriedener Mensch geworden. Und dieses Buch will dazu beitragen, auf den richtigen Weg zu gelangen. Glückliche und erlebnisreiche Tage unterwegs wünscht Ihnen Ihr *Heinrich Bauregger*

1 HOCHKÖNIG

Beinahe-Dreitausender in den Berchtesgadener Alpen

GIPFEL
Hochkönig, 2941 m.

TALORT
Mühlbach am Hochkönig, 859 m.

AUSGANGSPUNKT
Arthurhaus, 1502 m.

ANFAHRT
a) mit dem Auto: Von Bischofshofen oder von Saalfelden nach Mühlbach am Hochkönig und auf steiler, doch gut ausgebauter Asphaltstraße zum Arthurhaus (Straßenende, großer, gebührenpflichtiger Parkplatz).
b) mit Bahn/Bus: Mit der Bahn nach Bischofshofen und mit dem „Wanderbus" (Ende Mai bis Anfang Oktober) zum Arthurhaus. Wer mit „Öffentlichen" unterwegs ist, kann auch vom Dientener Sattel starten oder aber von Werfen oder Hintertal aus auf den Hochkönig steigen.

GEHZEITEN
Vom Arthurhaus zum Hochkönig 5 Std., Abstieg über Birgkar und Wiedersbergalm zum Arthurhaus 3 bis 4 Std. Abstieg auf dem Normalweg 3 Std. Gesamtgehzeit: 8 bis 9 Std.

SCHWIERIGKEIT
Normalweg: bezeichneter, gut angelegter, allerdings ziemlich langer Bergwanderweg, Abstieg durchs Birgkar: markierter, teilweise gesicherter Steig in steilem Felsgelände, bei evtl. vorhandenen harten Altschneefeldern können Pickel und Steigeisen erforderlich werden.

HÜTTEN/EINKEHR
Arthurhaus, 1502 m (Berghotel, privat, 60 Plätze); Mitterfeldalm, 1670 m (privat, 41 Plätze); Franz-Eduard-Matras-Haus, 2941 m (Österreichischer Touristenklub, 100 Plätze, bewirtschaftet von Mitte Juni bis Ende Oktober).

KARTE
Alpenvereinskarte 1:25 000 „Hochkönig – Hagengebirge". Topographische Karte 1:50 000, Sonderblatt „Berchtesgadener Alpen" (BLVA).

Beim Anstieg auf den Hochkönig unterhalb der Torsäule.

Auch wenn er das Klassenziel der Dreitausendersammler nicht erreicht, bleibt der Hochkönig ein schöner Berg. Beeindruckend ist die Weiträumigkeit und Wüstenhaftigkeit seiner Karrenfelder und die Aussicht auf die grünen Hügel und Täler des Pinzgaues und auf die Hohen Tauern gegenüber. Diese sind halt noch „richtig" vergletschert, wohingegen von der einstigen Vergletscherung des Hochkönigs nicht mehr allzuviel übrig ist. Dieser Plateaugletscher – eigentlich nur mehr ein großes Firnfeld – trägt den merkwürdigen Namen „Übergossene Alm". Eine Sage weiß die Erklärung dafür: Einst gab es hier oben eine Alm, die so unermeßlich reich war, daß die Bauern selbst die Wege mit Gold pflasterten statt mit Stein. Zur Strafe für diese Protzerei öffnete sich der Himmel und übergoß die Alm mit ewigem Schnee.
Unser Weg auf den Hochkönig ist lang, aber technisch nicht schwierig. Der Weg ist mit guten Markierungen, Begehungsspuren und auf dem Hochplateau auch mit Stangen bezeichnet. Auf aussichtsreichem Wanderweg umrunden wir die bizarren Felsgipfel der Mandlwand, steigen ins Ochsenkar auf und kommen unmittelbar unter den steilen Südwänden der Torsäule vorbei. Mäßig ansteigend geht es nun über weite Karsthochflächen und Schneefelder zum Hochkönig, auf dessen Gipfel das Matrashaus steht. Es ist erst vor einigen Jahren durch die Nachlässigkeit von Skibergsteigern beim Hantieren mit dem Feuer abgebrannt und wurde daraufhin neu errichtet. Es ermöglicht auch dem Wanderer, einen Abend „ganz oben" zu verbringen. Als Abstiegsweg sollten weniger Geübte die Aufstiegsroute vorziehen, die Geübteren dürfen sich das Birgkar zutrauen; aber Vorsicht vor Altschneefeldern!

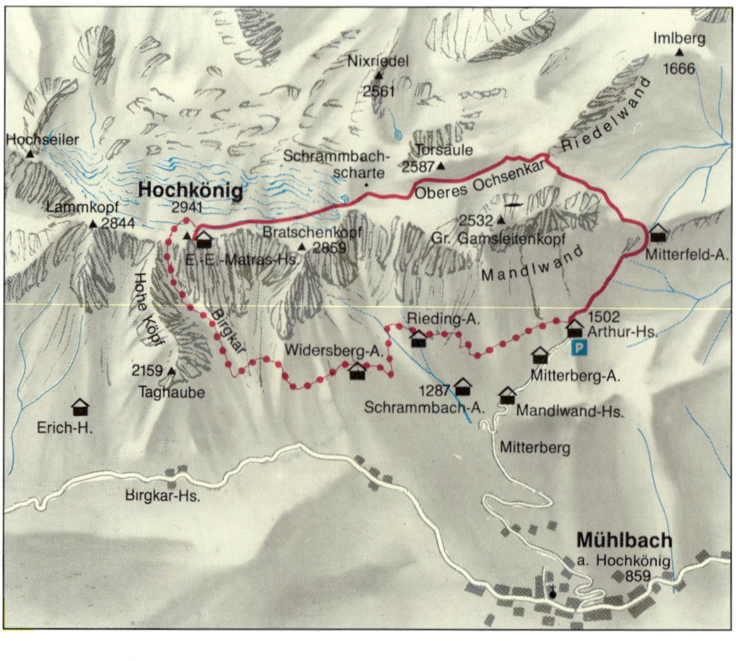

2 SCHÖNFELDSPITZE UND BREITHORN

Auf das Wahrzeichen des Steinernen Meeres

GIPFEL
Schönfeldspitze, 2653 m.
Breithorn, 2504 m.

TALORT
Saalfelden, 744 m.

AUGANGSPUNKT
Maria Alm bzw. Wanderparkplatz oberhalb von Saalfelden.

ANFAHRT
a) mit dem Auto: Über Kufstein oder Lofer nach Saalfelden im Pinzgau. Oder 5 km weiter nach Maria Alm, dort am östlichen Ortsausgang links über die Brücke ins Griesbachtal bis zu großem Wanderparkplatz.
b) mit Bahn/Bus: Über Kufstein/Wörgl nach Saalfelden, dann mit Citybus oder zu Fuß Richtung Schloß Lichtenberg, zum Beginn des Ramseider Steiges, der zum Riemannhaus führt.

GEHZEITEN
Vom Wanderparkplatz zum Riemannhaus 2½ Std., von Saalfelden über den Ramseider Steig zum Riemannhaus 3½ bis 4 Std., weiter über den Westhang zum Gipfel 2½ Std., Abstieg über den Südosthang in die Buchauer Scharte 1½ bis 2 Std., Rückweg zum Riemannhaus 2½ Std., Abstieg von der Buchauer Scharte nach Maria Alm 3 Std.

SCHWIERIGKEIT
Zu- bzw. Abstiege zur Ramseider und zur Buchauer Scharte: gute, markierte, stellenweise versicherte alpine Wanderwege; für weniger Trainierte etwas anstrengend; Auf- und Abstieg auf die Schönfeldspitze: bezeichnete Steige, teilweise Schwierigkeitsgrad I, eine Platte mit Eisenstiften entschärft, recht ausgesetzt.
Breithorn: leichte Wanderung.

HÜTTEN/EINKEHR
Riemannhaus, in der Ramseider Scharte, 2177 m (AV-Hütte, 140 Plätze, bewirtschaftet von Ende Mai bis Anfang Oktober).

KARTE
Alpenvereinskarte 1:25 000 „Steinernes Meer". Topographische Karte 1:50 000, Sonderblatt „Berchtesgadener Alpen" (BLVA).

Unsere Tour führt auf den zweithöchsten Gipfel des Steinernen Meeres, welchem übrigens nur ein lächerlicher Meter bis zur Höhe des benachbarten Selbhorns – des höchsten Gipfels – „fehlt".
Sowohl vom Berchtesgadener Land als auch vom Pinzgauer Saalachtal aus gesehen präsentiert sich die Schönfeldspitze als besonders formschöne Felsgestalt. Wer zum Malerwinkel spaziert, sieht die Schönfeldspitze als ideale Pyramidenform über den Königssee herunterschauen – ein unvergeßliches Bild. Doch – das sei vorweg gesagt – mit der gemütlichen Bummeltour auf den Hundstod (siehe Tour 3) läßt sich diese Wanderung nicht vergleichen. Denn sie ist länger und wesentlich anstrengender (besonders die beschriebenen Varianten), und vor allem verlangt sie einen trittsicheren, geübten Wanderer.
Angegangen wird dieser Berg an den Südabstürzen des Steinernen Meeres natürlich meist aus dem Saalachtal. Von Maria Alm aus können wir sogar ein gutes Stück weit (bis zu einem Parkplatz in 1162 m Höhe, und mehr als die halbe Horizontaldistanz) Richtung Riemannhaus hinauffahren. Wer Schneid hat und gut zu Fuß ist, der steigt natürlich zu Fuß dorthin auf. Dafür pilgert man aber nicht etwa auf der Straße von Maria Alm aus hinauf, sondern nimmt den Ramseider Steig ab Saalfelden, welcher sich unterhalb der Materialseilbahn mit dem anderen Weg vereinigt. Schon der Hüttenaufstieg weist Stufen und Versicherungen auf und bietet eine herrliche Aussicht auf die nahen Wände des Sommersteins und auf die fernen Zentralalpenberge.
Eine halbe Stunde hinterm Riemannhaus zweigt unser Weg auf die Schönfeldspitze vom Hauptweg, der von West nach Ost übers Steinerne Meer führt, ab. Er zieht am Wurmkopf vorbei, wird in der Scharte hinter diesem zum Steig, der sich zunächst die Westflanke hochschlängelt, und führt dann, kurz unterm Gipfel, auf einem Band mitten durch die Südwand auf den Südostrücken – als ob er sich's plötzlich ganz anders überlegt habe. Die Traverse ist ausgesetzt und weist an ihrem Ende ein paar plattige Passagen (Versicherungen) auf. Im Ab-

stieg biegen wir nicht mehr auf dieses Band ein, sondern steigen über die schrofige Südostseite zur Schönfeldnieder und weiter über den Grat zur Buchauer Scharte ab. Müssen wir zum Parkplatz oder nach Saalfelden zurück, so schlagen wir jetzt den Weg ein, der nördlich um die ganze Schönfeldspitze herum über die Hochfläche zurück zum Riemannhaus führt. Es ist aber auch durchaus möglich, von der Buchauer Scharte direkt nach Maria Alm abzusteigen, wenn man ohne Auto unterwegs ist. – P.S. Vielleicht mehr noch als alle anderen Hütten des Steinernen Meeres eignet sich das Riemannhaus für „Expeditionen" in die Weiten dieses faszinierenden Plateaugebirges.

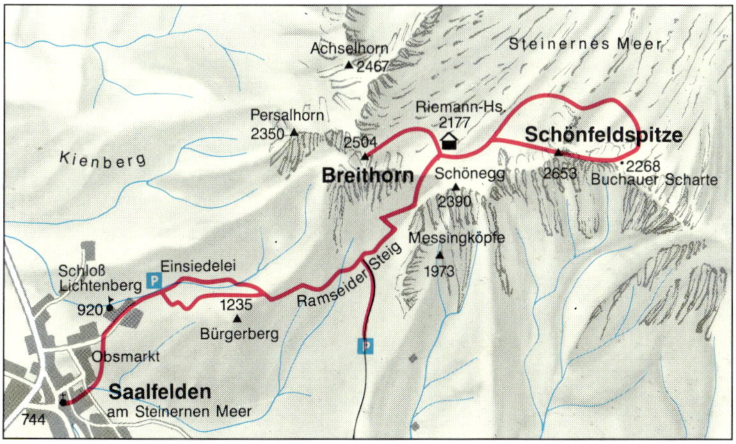

Oben: Von Maria Alm beeindruckt das Breithorn seinen Betrachter. Vom Riemannhaus, dem üblichen Stützpunkt für seine Besteigung, ist es nur mehr eine Stunde Gehzeit auf dem gut bezeichneten Normalweg. Gerade gut als Eingehtour am Nachmittag für den morgigen Tag, wenn die Schönfeldspitze auf dem Programm steht.

Links: Die Schönfeldspitze, zweithöchster Berg des Steinernen Meeres, gilt als eines der Wahrzeichen der Berchtesgadener Alpen. Seine Gipfelüberschreitung erfordert Trittsicherheit und Schwindelfreiheit. An den heiklen Stellen im Gipfelbereich helfen uns ein paar Eisenstifte über die ausgesetzten Stellen hinweg. Am Gipfel erwartet uns dann nicht das übliche Gipfelkreuz, sondern ein Kreuz mit einer querliegenden Madonnengestalt.

3 GROSSER HUNDSTOD

Stiller Wächter über dem Wimbachtal

GIPFEL
Großer Hundstod, 2593 m.

TALORT
Lofer, 626 m.

AUSGANGSPUNKT
Pürzlbach, 1043 m, bzw. Diesbach, 681 m, im Saalachtal

ANFAHRT
a) mit dem Auto: Auf der Bundesstraße Lofer – Saalfelden bis Weißbach bei Lofer. Ein kleines Stück Richtung Hirschbichlpaß, dann rechts abzweigen und hinauf zur Jausenstation Pürzlbach (4 km von Weißbach).
b) mit Bahn/Bus: Mit der Bahn nach Saalfelden im Pinzgau und per Postbus Richtung Lofer nach Weißbach. An den Sommerwochenenden und am Mittwoch verkehrt meist ein Kleinbus von hier zum Dießbachstausee. Ghf. Lofeyer, Tel. 0043/6582/8355

GEHZEITEN
Von Weißbach zum Ingolstädter Haus 5 Std., weiter zum Gipfel 1 bis 1½ Std., Abstieg bis Weißbach 5 Std. Gesamtgehzeit: 11 bis 11½ Std. Die Benützung des Busses zum Dießbachstausee (siehe b) erspart 1½ Std. von Pürzlbach und 2½ Std. von Weißbach.

SCHWIERIGKEIT
Hüttenzustieg: Fahrweg bzw. bezeichneter Wanderweg, Gipfelanstieg: bezeichneter Bergsteig. Leicht.

HÜTTEN/EINKEHR
Jausenstation Kallbrunnalmhütte; Ingolstädter Haus, 2119 m (AV-Hütte, bewirtschaftet von Mitte Juni bis Anfang Oktober, 12 Betten, 70 Lager, 32 Notlager).

KARTE
Topographische Karte 1:50 000, Sonderblatt „Berchtesgadener Alpen“ (BLVA).
Alpenvereinskarte 1:25 000 „Steinernes Meer“ (Gelände ab Dießbachstausee).

Der Große Hundstod zählt zweifellos zu den prominentesten Gipfeln der Berchtesgadener Alpen, doch blüht er ein wenig im Verborgenen, da man ihn aufgrund seiner Lage zwischen Watzmann und Steinernem Meer aus den Tälern oft nicht sehen kann. Um so auffallender wirkt der isoliert dastehende Berg dafür, wenn man ihn von einem – und sei es auch entfernten – Gipfel erblickt. Dabei läßt sich der Große Hundstod über seinen Normalweg von Süden her völlig problemlos und unschwierig ersteigen, und auch den langen Anmarschweg zur Hütte können wir mit einem Bus auf einen besseren Spaziergang reduzieren. Somit gehört dieser Tourenvorschlag sicher zu den leichtesten dieses Buches. Er kommt damit den älteren oder den frischgebackenen Wanderern entgegen, oder aber denjenigen, die sich erstmals aus den Mittelgebirgen oder Voralpen ins Hochgebirge begeben.
Unsere Route führt von Pürzlbach, auf sonniger Terrasse hoch über dem Saalachtal gelegen, über eine Almstraße zu den weiten Wiesen der Kallbrunnalmen, des größten Almgebietes der Berchtesgadener Alpen. Weiter geht's am Dießbachstausee vorbei. Die den Talschluß sperrende Mitterkaserwand überwindet der Weg in einer weiten Nordschleife und erreicht bald danach das sogenannte „Karrengelände“, jenes weite, schwachgeneigte Kalkhochplateau mit seinem grasdurchsetzten, plattig-wasserzerfressenen Fels – das typische Gelände des Steinernen Meeres. Unterm Dießbacheck und dem Kleinen Hundstod vorbei erreichen wir die Hütte in der Dießbachscharte.
Die Besteigung des Hundstodes am folgenden Tag ist eine gemütliche Wanderung, doch sollten wir sie nicht allzu spät antreten, da wir ja auch noch einen recht langen Rückweg vor uns haben. Glücklich, wer mehr als nur ein Wochenende Zeit hat, er kann noch auf den Schindlkopf wandern und die Südabstürze des Steinernen Meeres hinunterschauen, oder er kann – wenn er kein Auto in Pürzlbach stehen hat – den Eichstätter Weg übers Steinerne Meer oder besser gesagt in das Herzgebiet desselben einschlagen und über die Weißbachlscharte und die Peter-Wiechenthaler-Hütte oder über die Ramseider Scharte und das Riemannhaus direkt nach Saalfelden absteigen. Der Eichstät-

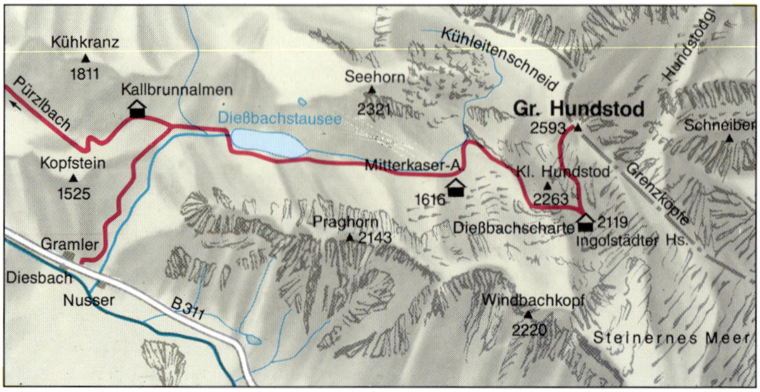

ter Weg ist gut markiert, dennoch sollten ihn besonders die weniger erfahrenen Wanderer nur bei Sicht und sicherem Wetter begehen, da man sich auf den weiten Hochflächen des Steinernen Meeres bei Nebel fürchterlich verirren kann. Diese Wanderung und beide möglichen Abstiege sind deutlich anstrengender und anspruchsvoller als der Weg von Weißbach herauf.
Auch auf die bayerische Seite kann man absteigen, nämlich über den Trischübelpaß zur Wimbachgrießhütte, doch dürfte das auch nur für nicht automobilgebundene Wanderer in Frage kommen. Diesen Weg gehen im Spätwinter, allerdings in umgekehrter Richtung, die Skitouristen, für die die „Hundstodreib'n" eine der klassischen Berchtesgadener Skitouren darstellt. Was eine „Reib'n" (oder auch „Scheib'n") ist? Ganz einfach: so heißt auf berchtesgadnerisch die Runde …

Das Ingolstädter Haus an der Dießbachscharte vor der Kulisse des Großen Hundstod.

4 HOHES BRETT UND HOHER GÖLL

Felsabenteuer über der Roßfeldstraße

GIPFEL
Hohes Brett, 2340 m.
Großer Archenkopf, 2391 m.
Hoher Göll, 2522 m.

TALORT
Berchtesgaden, 572 m.

AUSGANGSPUNKT
Parkplatz Hinterbrand.

ANFAHRT
a) mit dem Auto: Von Berchtesgaden auf den Obersalzberg und Richtung Hinterbrand bis zum Ende der Straße (gebührenpflichtiger Parkplatz).
b) mit Bahn/Bus: Mit der Bahn nach Berchtesgaden und per RVO-Bus zum Parkplatz Hinterbrand. Man kann auch nach Königssee und mit der Jennerbahn bis zur Mittelstation oder bis zum Jennergipfel fahren.

GEHZEITEN
Vom Parkplatz Hinterbrand aufs Torrener Joch 2 bis 2½ Std., weiter aufs Hohe Brett 2 Std., Übergang zum Hohen Göll 2 Std., Übergang zum Kehlstein 3 Std., Abstieg zum Purtschellerhaus etwas kürzer (1½ Std.), Abstieg nach Hinterbrand weitere 2 Std. Gesamtgehzeit: 11 bis 11½ Std.

SCHWIERIGKEIT
Bis zum Torrener Joch bequeme Wanderwege, weiter bis zum Hohen Göll Pfade und Pfadspuren, teilweise Karrenfelder, vom Göll bis zum Kehlstein teilweise stark ausgesetzter, drahtseilversicherter Steig.

HÜTTEN/EINKEHR
Alpeltalhütte, 1100 m, bei Vorderbrand (Naturfreundehaus, 42 Plätze, bewirtschaftet von Weihnachten bis Ende Oktober); Carl-von-Stahl-Haus, 1731 m, am Torrener Joch (AV-Hütte, 83 Plätze, ganzjährig bewirtschaftet); Schneibsteinhaus, 1670 m (Naturfreundehaus, 110 Plätze, bewirtschaftet von Weihnachten bis Ende Oktober); Kehlsteinhaus, 1843 m (keine Übernachtungsmöglichkeit); Scharitzkehlalm, 1046 m (ganzjährig bewirtschaftet); evtl. Purtschellerhaus, 1692 m (AV-Hütte, von Pfingsten bis Mitte Oktober bewirtschaftet, 15 Betten, 50 Lager).

Wenn es in der Berchtesgadener Runde einen Berg gibt, der dem Hochkalter seine Stellung am Hof von König Watzmann streitig machen kann, dann ist dies der mächtige Göllstock. Näher als alle anderen steht er dem Marktflecken, und enger als alle anderen ist er mit diesem verflochten: über Straßen, Siedlungen und Seilbahnen. Zu seinen Füßen, auf dem Obersalzberg und auf dem Kehlstein (Alpenfestung und Hitlers Teehaus), wurde vormals Geschichte, wird heute Umsatz gemacht – in diesem Fall das kleinere Übel.
Auch im Fall des Gölls ist die empfehlenswerteste Route zweifellos die Gesamtüberschreitung des Massivs. Solche sind eben meist abwechslungs- und aussichtsreicher und dabei kaum schwieriger und mühsamer als „einfache" Auf- und Abstiege. Außerdem läßt sich die Überschreitung des Göllstockes sehr bequem als Wochenendtour durchführen.
Wir wandern von Hinterbrand in Richtung Jenner-Mittelstation und fahren entweder mit der Gondelbahn hinauf oder steigen vor dieser über die Kraut- und die Mitterkaseralm zum Jennersattel auf. Jenseits geht es leicht fallend zum Torrener Joch hinüber. Alternativ können wir auch (fast ohne Höhenunterschied) bis zur Königsbachalm gehen und von dieser zum Joch aufsteigen. Dort haben wir die Möglichkeit, entweder im Carl-von-Stahl-Haus oder im Schneibsteinhaus zu übernachten.
Anderntags steigen wir über die Pfaffenköpfe und das Jägerkreuz aufs Hohe Brett und wandern über den meist ziemlich breiten Höhenrücken zum Hohen Göll hinüber. Bei Nebel kann man sich hier leicht verirren! Vor dem Gipfelanstieg treffen wir in der Göllscharte den aus dem Alpeltal heraufkommenden Weg. Vom Gipfel des Hohen Gölls über die

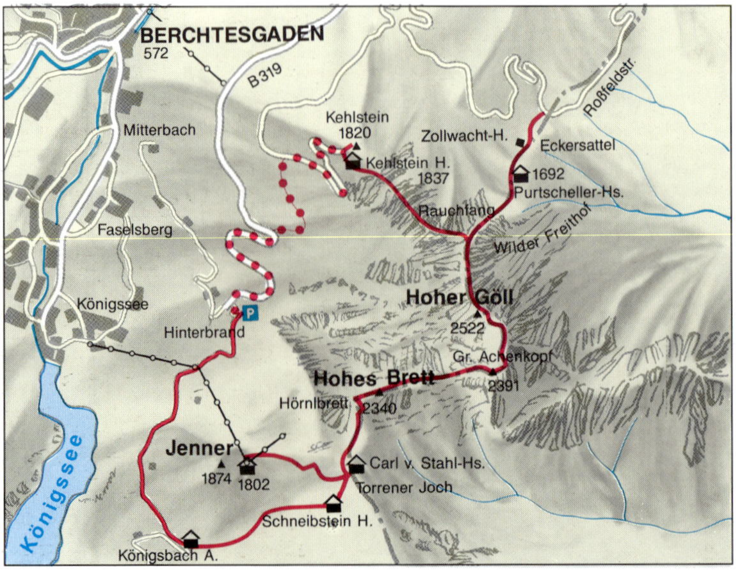

Schuttreiße der „Gölleiten“ und den abwechslungsreichen Klettersteig des Mannlgrates zum Kehlstein. Auf der Straße steigen wir ab, bis auf der linken Seite eine Nebenstraße abzweigt, welche in die Scharitzkehl hinunterführt. Von hier sind es vielleicht noch zwei Kilometer auf der Hinterbrandstraße bis zum Parkplatz.

Wir können vom Göll auch auf den Salzburger Steig zum gemütlichen Purtschellerhaus absteigen, doch ist dies wegen der zu querenden steilen Schneefelder im Frühsommer weniger empfehlenswert. Außerdem entfernen wir uns damit immer weiter von unserem Auto und die Rückkehr zu diesem würde sich doch recht umständlich gestalten. Wenn wir aber an kein eigenes Fahrzeug gebunden sind, können wir mit den Bussen von der Roßfeld-Höhenringstraße bequem nach Berchtesgaden hinunter fahren.

KARTE
Topographische Karte 1:50 000, Sonderblatt „Berchtesgadener Alpen“ (BLVA).

HINWEISE
Da die Überschreitung relativ lang ist und nur einen „Notausstieg“ aufweist (Abstieg vom Hohen Göll durchs Alpeltal), sollte unbedingt auf sicheres Wetter (Nebel! Gewitter!) geachtet werden!

Am Anstieg zum Hohen Göll mit Blick auf Gruberhorn und Kleinem Göll.

5 WATZMANN

Überschreitung eines Berg-Mythos

GIPFEL
Watzmann, 2713 m.

TALORT
Berchtesgaden, 573 m.

AUSGANGSPUNKT
Parkplatz Wimbachbrücke bzw. Gasthaus Hammerstiel oder Königsee.

ANFAHRT
a) mit dem Auto: Auf der Salzburger Autobahn bis Piding, dann auf der Landstraße über Bad Reichenhall und Hallthurm zur Verbindungsstraße Berchtesgaden–Ramsau, dann links über die Ache und in die Schönau hinauf. Nach Ortsbeginn das zweite oder dritte Sträßchen nach rechts abbiegen, Richtung Gasthaus Hammerstiel (Hinweistafel!). Am Straßenende Parkplatz. Oder, für die Überschreitung günstiger, Parkplatz an der Wimbachbrücke, direkt an der Straße Berchtesgaden – Ramsau. Weitere Möglichkeit: Königssee-Ort; Großparkplatz (gebührenpflichtig).
b) mit Bahn/Bus: Mit der Bahn nach Berchtesgaden, und mit RVO-Bus nach Schönau-Ilsank und weiter zu Fuß: nach der Brücke rechts auf Fußweg zum Gasthaus Hammerstiel. Bzw. mit dem RVO-Bus Richtung Ramsau/Hintersee. Rückweg: Von der Wimbachbrücke per RVO-Bus.

GEHZEITEN
Von Gasthaus Hammerstiel bzw. von Königssee oder von der Wimbachbrücke zum Watzmannhaus 4 bis 4½ Std., weiter zum Hocheck 2 Std., weiter zur Südspitze 2 Std., Abstieg zur Wimbachgrieshütte 3 bis 3½ Std., weiter zur Wimbachbrücke 2 Std., Gesamtgehzeit: 14 Std.

SCHWIERIGKEIT
In den tieferen Lagen Forststraßen und leichte Wanderwege, Aufstieg aufs Hocheck: alpiner Wanderweg, teils über Schrofen, kurze Drahtseilstelle. Übergang zur Mittel- und zur Südspitze: drahtseilversicherter Steig und leichte Kletterstellen bis II, Abstieg ins Wimbachgries: markierter Steig (jedoch Orientierungssinn erforderlich), Schuttfelder; diese beiden nur für geübte Wanderer.

Einst, berichtet die Sage, sei der Watzmann König des Berchtesgadener Landes und ein maßlos grausamer Herrscher gewesen. „Er liebte nur die Jagd, und seine Untertanen zitterten, wenn sie den Lärm der Hörner, das Gebell der Hunde und das Stampfen der Rosse hörten. Eines Tages erschien der König mit seinem Troß auf einer Waldtrift, wo eine Herde weidete. Vor der Hütte saß die Hirtin, ihr schlafendes Kind im Arm. Neben ihr lag der Wachhund. Rasend vor Mordlust warfen sich des Königs Rüden auf den Hirtenhund und die Frau. Da stürzte der Hirte herbei und schlug in seiner Verzweiflung auf die Meute ein. Das erboste den König maßlos; er hetzte seine Hunde und die bewaffneten Knechte auf den Hirten, der mitsamt Frau und Kind zerrissen wurde.
Aber da erhob sich plötzlich ein dumpfes Brausen, und die Hundemeute wandte sich nun gegen den König selbst. In Todesangst schrie dieser auf, und im nächsten Augenblick erstarrten er und seine Familie zu marmorkaltem Fels."
Da stehen sie nun bis heute, regungslos, der König Watzmann, seine Königin, die Watzmannfrau, zu seiner Rechten und ihre fünf Kinder zwischen den beiden.
Der Watzmann ist Wahrzeichen und höchster Gipfel des Berchtesgadener Landes, und er ist sicher das Wunschziel vieler, die ihren Ur-

HÜTTEN/EINKEHR
Mitterkaseralm unterm Watzmannhaus, 1400 m; Watzmannhaus, 1928 m (AV-Hütte, etwa 200 Plätze, bewirtschaftet von Anfang Juni bis Ende September); Kührointhütte, 1420 m (Übernachtung, von Anfang Juni bis Ende September bewirtschaftet); Wimbachgrieshütte, 1327 m (Naturfreundehaus, 74 Plätze, bewirtschaftet von Mai bis Ende Oktober).

KARTE
Topographische Karte 1:50 000, Sonderblatt „Berchtesgadener Alpen" (BLVA).

HINWEISE
Die beste Zeit für die Überschreitung ist der Spätsommer oder Herbst, wenn das Wetter am stabilsten und die Sicht am klarsten ist. Ist das Watzmannhaus schon geschlossen, kann man im Winterraum übernachten.

Zwei Bergsteiger begegnen sich an der Watzmann-Mittelspitze. Das Felsgelände gibt nur einen bescheidenen Eindruck von der Ausgesetztheit des Gipfelgrats.

Vorhergehende Seite: Blick von der Königsbachalm auf die Watzmann-Ostwand. Im Mittelgrund der Kleine Watzmann mit den Watzmannkindern.

laub oder ihre Wochenenden dort verbringen. Zumindest der Watzmann-Nordgipfel, das Hocheck, muß auch für den durchschnittlichen Wanderer kein Wunschtraum bleiben. Er sollte daran denken, daß dieser Gipfel einst eine vielbesuchte Wallfahrtsstätte war, zu der sich Alte und Kranke heraufschleppten! Dem etwas weiter „Bewanderten" wird die Überschreitung aller drei Gipfel mit ihren unvergleichlichen Tief- und Fernblicken in die Watzmann-Ostwand, auf den Königssee, auf die tausend anderen (oft viel einsameren!) Berchtesgadener Wanderberge und auf die Glocknergruppe im Süden sicher ein unvergeßliches Bergerlebnis bringen.

Die Einblicke in die Watzmann-Ostwand sind ganz besonders dramatisch. Hier haben wir es immerhin mit der höchsten Wand der Ostalpen zu tun, deren 1800 Meter Wandhöhe nur noch von ganz wenigen Westalpenwänden überboten wird. Sie wurde schon im Jahr 1881 vom Ramsauer Bauern und Bergführer Johann Grill (nach seinem Hof der „Kederbacher" genannt) mit dem Wiener Kunden Otto Schück erstmals durchstiegen. Die Klettertouren durch diese Wand sind zwar für geübte Bergsteiger „nur" mittelschwer, doch liegen die meisten Unwägbarkeiten solcher langer, alpiner Routen weniger in den rein technischen Schwierigkeiten als im Wetter, in den Eisverhältnissen oder sonstigen objektiven Bedingungen. Diese wurden selbst einem Könner wie dem bekannten Berchtesgadener Bergführer Franz Rasp zum Verhängnis: Nicht weniger als 294 mal hatte er die Ostwand durchstiegen – wohlgemerkt, auf allen Routen, im Sommer wie im Winter, bei Nacht und Nebel. Dennoch stürzte er im Januar 1988 zusammen mit einem ebenfalls bergerfahrenen Kunden tödlich ab, wobei beide das Geheimnis der Unfallursache mit ins Grab nahmen …

Als Wanderer auf dem Watzmann-Grat können wir eine Ahnung von der Faszination dieser großen Wände bekommen, ohne uns ihnen direkt aussetzen zu müssen.
Möchte man nur aufs Hocheck, erspart der Start vom Gasthaus Hammerstiel ein paar Höhen- und Entfernungsmeter, plant man jedoch die Überschreitung, sollte man lieber an der Wimbachbrücke parken, da man so im Abstieg direkt wieder zum Auto kommt. Von beiden Ausgangspunkten geht es zunächst auf bequemer Forststraße zur Schapbach-Holzstube und weiter über die Stuben- zur Mitterkaseralm. Zur Stubenalm können wir auch von der Wimbachbrücke direkt aufsteigen. Weiter geht's auf gutem Wanderweg zur Falzalm und in vielen Kehren zum Watzmannhaus hinauf. Der Weg aufs Hocheck ist bezeichnet; er führt zunächst etwas in der Nordwestflanke und dann immer auf dem Grat entlang. Auch der Weiterweg zur Südspitze ist nicht zu verfehlen. Er führt meist auf dessen Westseite ausgesetzt über den langen Grat. Immer wieder sind versicherte Passagen zu überwinden, deren Stahlseile übrigens von der Nationalparkverwaltung instand gehalten werden. Sollten wir dabei von Schlechtwetter überrascht werden, heißt es abwägen: Befinden wir uns schon gut jenseits der Mittel- oder gar schon auf der Südspitze, führt der schnellste Abstieg nicht mehr zum Watzmannhaus zurück, sondern zur Wimbachgrieshütte! Auf gar keinen Fall sollten wir versuchen, weglos durch die riesige Westflanke des Watzmanns abzusteigen!
Auch der Abstieg von der Südspitze ist bezeichnet, fordert jedoch wegen einiger Schuttfelder und Durchschlüpfe etwas Aufmerksamkeit. Dafür verläuft der Weiterweg zur Wimbachbrücke dann fast eben und schnurgerade dahin.

Die Abendsonne modelliert den Gratverlauf des Watzmannstocks in stimmungsvoller Weise, nimmt ihm dabei alle Schroffheit. Rechts unten, auf dem kleinen Höcker, befindet sich das Watzmannhaus.

Bild oben: Die wildzerklüftete Watzmann-Südspitze, hier aus dem Wimbachtal gesehen, erfordert beim Abstieg etwas Orientierungssinn.

6 HOCHKALTER

Felsgipfel über dem Blaueisgletscher

GIPFEL
Hochkalter, 2607 m.

TALORT
Ramsau, 673 m.

AUSGANGSPUNKT
Parkplätze „Staatsstraße“ bzw. „Seeklause“ an der Straße von Ramsau nach Hintersee.

ANFAHRT
a) mit dem Auto: Auf der Salzburger Autobahn bis zur Ausfahrt Piding, dann auf der Landstraße nach Ramsau und zum Hintersee; Parkplätze am Ostufer des Sees.
b) mit Bahn/Bus: Mit der Bahn nach Berchtesgaden und mit RVO-Bus zum Hintersee.

GEHZEITEN
Vom Parkplatz zur Blaueishütte 2½ Std., weiter zum Hochkalter 4 Std., Abstieg durchs Ofental 4 Std. Gesamtgehzeit: 10½ Std.

SCHWIERIGKEIT
Bis zur Hütte: Fahrweg und leichter Bergwanderweg, Aufstieg zum Gipfel: teilweise leichte Kletterei mit Stellen bis Schwierigkeitsgrad II, Abstieg: zunächst Felsgelände, teilweise leichte Kletterei (I), dann Geröll und schließlich Wanderweg.

HÜTTEN/EINKEHR
Schärtenalm, 1362 m (privat, einige Lager, im Sommer einfache Bewirtschaftung); Blaueishütte, 1680 m (AV-Hütte, 86 Plätze, bewirtschaftet Ende Mai bis Mitte Oktober, April/Mai und Ende Oktober nur an Wochenenden); Gasthöfe am Hintersee.

KARTE
Topographische Karte 1:50 000, Sonderblatt „Berchtesgadener Alpen“ (BLVA).

Ist der Watzmann auch unangefochtener König der Berchtesgadener Gipfel, so ist der Hochkalter ebenso eindeutig der Erste der Höflinge; ein Marschall oder ein Truchseß. Mit seinem Herrn hat er die vornehme, freistehende Lage gemeinsam, ihm voraus hat er den Besitz eines Edelsteins, der diesem auch gut anstünde: Es ist das Blaueis, immerhin der nördlichste Alpengletscher. Auch wenn dieser Edelstein, bedingt durch den allgemeinen Gletscherrückgang der letzten Jahre, arg zusammengeschmolzen ist, handelt es sich dabei um einen richtigen Gletscher mit Spalten (und den dazugehörigen Spaltenstürzen!), was man von den Wetterstein-Fernerchen nicht behaupten kann.

Im übrigen bröckelt die Herrlichkeit des Zweiten am Hofe ganz schön ab: Die südlichen und westlichen Teile des Hochkaltermassivs, die aus besonders brüchigem Ramsaudolomit bestehen, waren bis in jüngste Zeit hinein immer wieder Schauplätze gewaltiger Bergstürze, manche von denen Augenzeugen mit Vulkanausbrüchen verglichen.

Auch bergsteigerisch ist der Hochkalter, um beim Höfischen zu bleiben, ein Grimmiger Hagen: Seine Überschreitung ist um keinen Deut leichter als die des Watzmanns, eher das Gegenteil, da es hier keine Drahtseilsicherungen gibt, und viel kürzer ist sie auch nicht. Auch gibt es hier keinen leichten Vorgipfel zum „Ausprobieren“.

Von der Blaueishütte, die auf bequemen Fahr- bzw. Wanderwegen

Die Schauseite des Hochkalter von Nordosten, vom Loipl aus gesehen. Der letzte Teil des Gipfelanstiegs erfolgt auf dem gut sichtbaren Gipfelgrat von rechts nach links.

Am Aufstieg über den „Schönen Fleck" auf den Hochkalter. Unter uns der steile Blaueisgletscher, der langsam aber stetig zusammenschrumpft. Über ihn führt ein weiterer Anstieg auf den Gipfel; diese kombinierte Eis- und Felstour darf aber nicht unterschätzt werden, sie gilt jedoch als abwechslungsreichster Anstieg auf den Hochkalter. Links vom Gletscher erkennen wir den Gipfelaufbau der Blaueisspitze. Im Hintergrund der Watzmann mit all seinen drei Hauptgipfeln, dem Hocheck, der Mittelspitze und der Südspitze (von links nach rechts).

vom Hintersee bzw. von Ramsau erreichbar ist, ereichen wir den Hochkalter am einfachsten über den „Schönen Fleck", womit wir uns eine Gletscherbegehung ersparen. Der Anstieg ist bezeichnet; er führt zunächst in Richtung Blaueis und biegt dann hinter den Grundmauern der alten Hütte nach Westen zur Schuttrinne ab, die zum Nordwestausläufer des Hochkalters hinaufzieht. Er erreicht diesen Gratausläufer an jenem „Schönen Fleck" und folgt dann im wesentlichen dem Gratverlauf bis zum Gipfel. Der Abstieg ins Ofental ist ebenfalls markiert. Wir sollten in seinem obersten Teil darauf achten, uns nicht zu einem direkten Abstieg ins Tal verleiten zu lassen, sondern in langer Linksquerung die Ofentalscharte anpeilen. Wenn wir dann weiter unten, an der Waldgrenze, einmal den Pfad gefunden haben, kann eigentlich nichts mehr schiefgehen.

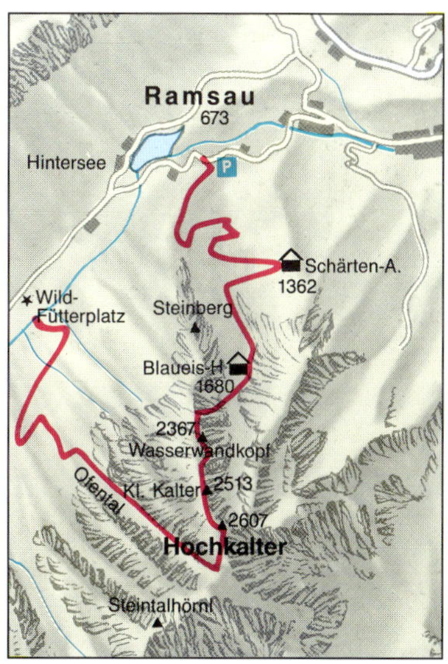

7 HÄUSELHORN UND STADELHORN

Gipfelpaar über den Böden der Reiter Alm

GIPFEL
Großes Häuselhorn, 2284 m.
Stadelhorn, 2286 m.

TALORT
Bad Reichenhall, 473 m.

AUSGANGSPUNKT
Oberjettenberg, 637 m, bei der Zufahrtsstraße zur Materialseilbahn der Erprobungsstelle der Bundeswehr.

ANFAHRT
a) mit dem Auto: Von der Autobahnabfahrt Schweinsbach bzw. Piding der Salzburger Autobahn auf der Landstraße über Inzell oder Bad Reichenhall nach Unterjettenberg, dann einen guten Kilometer auf der Deutschen Alpenstraße Richtung Ramsau; bei der Abzweigung Oberjettenberg rechts weg. Nach zwei Kilometern ist der Ausgangspunkt erreicht. Provisorische Parkplätze an der Straße.
b) mit Bahn/Bus: Auf der Strecke München – Salzburg bis Bad Reichenhall-Hbf. Von dort mit RVO-Bus bis zur Abzweigung Richtung Oberjettenberg (nur Sommer), ansonsten Linie nach Melleck benutzen und in Unterjettenberg aussteigen, dann zu Fuß nach Oberjettenberg (1 Std.).

GEHZEITEN
Oberjettenberg bis zur Neuen Traunsteiner Hütte 3¾ Std., Anstieg zum Gr. Häuselhorn 2½ Std., zum Stadelhorn 3½ Std., jeweils von der Neuen Traunsteiner Hütte. Abstieg zur Hütte 1½ bzw. 2½ Std., Abstieg ins Tal 2½ Std. Gesamtgehzeit: 10¼ bzw. 12¼ Std.

SCHWIERIGKEIT
Der Anstieg zur Alpenvereinshütte erfolgt zu Beginn auf Forststraße, dann auf guten Bergsteigen (auch für Kinder gut geeignet). Die Böden der Reiter Alm bis zum Nordfuß der Häuselhörner werden auf schmalen Pfaden gequert. Der Anstieg auf das Große Häuselhorn erfolgt auf markiertem, steilem Steig. Der Anstieg auf das Stadelhorn führt zuerst auf gut begehbarem Bergsteig, von dort über gestuften Fels zum Gipfel. Trittsicherheit und Schwindelfreiheit sind bei diesem Gipfel auf jeden Fall erforderlich.

Noch im Jahre 1910 konstatierte der Verfasser der ersten Monographie über die Reiter Alm, „daß dieser mächtige Gebirgsstock trotz der Schönheit seines Plateaus und der mannigfachen Felsformen seiner Ränder touristisch bis vor kurzem das Aschenbrödel im Berchtesgadener Land geblieben ist, trotzdem er unfern zweier Touristenzentren (Bad Reichenhall und Berchtesgaden) gelegen ist". 1909 waren auf der Traunsteiner Hütte 440 Besucher gezählt worden. Doch bereits 1911 hatte sich der Zulauf so weit verstärkt, daß man sich Gedanken um eine Erweiterung machte. Und 25 Jahre später war es dann soweit, man baute gleich eine neue Hütte. Über mangelnden Besuch brauchen sich die Wirtsleute der einzigen Bergsteiger-Unterkunft auf der Reiter Alm nicht zu beklagen. Im Gegenteil, schon die Hüttenöffnungszeiten sprechen für sich: Nur im Spätherbst und im Hochwinter ziehen sich die Pächter ins Tal zurück. Spätestens seit dem Bau der Deutschen Alpenstraße in den dreißiger Jahren ist dieser Gebirgsstock ein leicht erreichbares Ziel. Almwirtschaft wird jedoch auf dem ausgedehnten Almplateau heute nicht mehr betrieben. Schon zur Jahrhundertwende hatten sich zahlreiche Almhütten nicht mehr rentiert und wurden aufgelassen. Nur vereinzelt treiben heute die Bauern noch ihr Jungvieh auf die Alm, um das Weiderecht nicht ganz zu verlieren. Einige Kaser stehen noch und dienen privaten Zwecken.
Acht Steige – mehr als bei jedem anderen Gebirgsstock der Berchtesgadener Alpen – führen durch die unzugänglich anmutenden Wandfluchten, die den Gipfelkranz umgeben, und laufen sternförmig bei der zentral liegenden Traunsteiner Hütte zusammen. Einige von ihnen setzen aber bereits Trittsicherheit und Schwindelfreiheit voraus. Auf der verkarsteten Hochfläche angekommen, bieten sich Tourenmöglichkeiten für eine ganze Woche. Neben den leichten Hüttenbergen wie Weitschartenkopf und Edelweißlahner gibt es auch anspruchsvollere

Möglichkeiten wie die Drei Brüder, das Wagendrischlhorn, die Häuselhörner und das Stadelhorn.

Der wohl gebräuchlichste Anstieg zur Traunsteiner Hütte beginnt in Oberjettenberg, bei der Erprobungsstelle der Bundeswehr. Von dort führt eine ausgeschilderte Forststraße zuerst zur sogenannten Holzstubn. Kurz dahinter verzweigt sich die Straße, wobei wir uns links halten. Nach etwa einer halben Stunde zweigt links der Steig zum Schrecksattel ab. Auf diesem nun hinauf bis unter die prallen Felswände und links in Serpentinen zum Sattel. Jenseits auf der Hochfläche weiter zur Hütte. – Um die beiden höchsten und vielleicht interessantesten Gipfelziele ansteuern zu können, gehen wir von der Hütte rechts am Fuß des Weitschartenkopfs entlang zur Alten Traunsteiner Hütte und weiter zu den Reiter Almen. Dann nach links weg (Mark.-Nr. 473) in die sogenannte Roßgasse. Oberhalb verzweigt sich der Steig, dort rechts in die flache Mulde hinauf, die von den Flanken des Kleinen Häuselhorns und des Hohen Windlochkopfes eingeschlossen wird. In leichtem Fels in die Einschartung zwischen beide Häuselhörner und links in wenigen Minuten auf das Große Häuselhorn. – Um auf das anspruchsvollere Stadelhorn zu gelangen, müssen wir bei der Wegverzweigung oberhalb der Roßgasse links weiter zum Roßkar und an den Nordfuß des Wagendrischlhorns, das wir links umgehen und so zur Mayrbergscharte gelangen. Von der Scharte steigen wir über gestuften Fels etwas nördlich der Gratkante zum Gipfel hinauf.

Für den Abstieg bieten sich wieder mehrere Möglichkeiten: a) über den Anstiegsweg, oder – falls wir nicht ans Auto gebunden sind – b) über den Schaflsteig oder Böslsteig auf die Ramsauer Seite hinab.

HÜTTENEINKEHR

Neue Traunsteiner Hütte, 1570 m (AV-Hütte, von Anfang April bis Ende Oktober bewirtschaftet, 38 Betten, 130 Lager)

KARTE

Topographische Karte 1:50 000 Sonderblatt „Berchtesgadener Alpen" (BLVA).

Links: Die Reiter Alm aus dem Saalachtal bei Unterjettenberg gesehen. Der auffällige Gipfel in Bildmitte, das Alphorn, wirkt nur aufgrund der Perspektive so eindrucksvoll; er erhebt sich nur wenig über das weite Hochplateau.

Unten: Bewegende Felsszenerie an der Mayrbergscharte auf der Südseite der Reiter Alm. Von hier ist es nur mehr ein kurzes Stück hinauf zum Gipfel des Stadelhorns, das übrigens bereits 1825 von Pater Thurwieser zum erstenmal in touristischer Absicht erstiegen wurde.

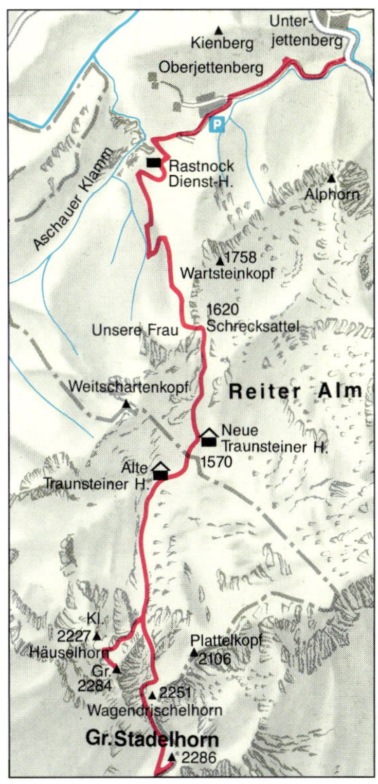

8 UNTERSBERG

Auf einen sagenumwobenen Gebirgsstock

GIPFEL
Untersberg, 1972 m.

TALORT
Marktschellenberg, 477 m.

AUSGANGSPUNKT
Der alte Paßthurm an der B305 von Marktschellenberg Richtung Salzburg.

ANFAHRT
a) mit dem Auto: Auf der Salzburger Autobahn bis zur Grenzstation Schwarzbach, dann Richtung Tauern-Autobahn; ab Autobahnausfahrt Salzburg-Süd folgen wir der Ausschilderung nach Marktschellenberg bzw. Berchtesgaden. Erneuter Grenzübertritt, dann auf der B305 nur noch 1½ km bis zum Parkplatz am alten Paßthurm kurz vor Marktschellenberg.
b) mit Bahn/Bus: Von München bis nach Berchtesgaden mit Direktverbindung bzw. mit Umsteigen in Freilassing. Von Berchtesgaden mit RVO-Bus bis zur Haltestelle „Eishöhle".

GEHZEITEN
Vom Ausgangspunkt bis zur Toni-Lenz-Hütte knappe 3 Std., Anstieg zur Mittagscharte 1½ Std., und Übergang zum Stöhrhaus von der Mittagscharte 3 Std. Der höchste Punkt des Untersbergs, der Berchtesgadener Hochthron, 1972 m, befindet sich nur wenige Minuten oberhalb des Höhenwegs. Rückkehr über das Leiterl und den Scheibenkaser nach Marktschellenberg bzw. zum Ausgangspunkt 3 Std. Gesamtgehzeit: 10½ Std. Übernachtung auf jeden Fall empfehlenswert, besonders auf dem Stöhrhaus, da die Wegstrecke sehr lang ist, und die Orientierung auf der Hochfläche bei schlechtem Wetter oder früher Dunkelheit schwierig werden kann.

SCHWIERIGKEIT
Bis auf das letzte Stück des Abstiegswegs von Ettenberg, wo wir auf der Fahrstraße wandern, besteht die ganze Route aus gut markierten Bergsteigen. Lediglich auf dem Anstiegsweg zur Mittagscharte bewegen wir uns auf einem gesicherten, in die Felsen geschlagenen Steig (Thomas-Eder-Steig), der Schwindelfreiheit voraussetzt.

Knapp nur verfehlt der Untersberg die Zweitausendmetermarke, doch das tut seiner Bedeutung und seiner Beliebtheit bei den Bergwanderern keinen Abbruch. Ganz unmittelbar ragt dieser massige Tafelberg mit seinen bewaldeten Flanken aus der Ebene und schließt die Berchtesgadener Alpen nach Norden ab. Auf seiner Südseite hingegen locken pralle Felswände bis in den Spätherbst die Kletterer. Doch dieser behäbig aussehende Tafelberg hat vieles zu bieten: Ein dichtes Höhlensystem mit über hundert erforschten Höhlen verbirgt sich in seinem Untergrund, deren größte aber nicht die touristisch erschlossene Schellenberger Eishöhle, sondern die Kolowratshöhle im oberen Rosittental ist. Nicht von ungefähr hat sich daran die Phantasie entzündet und Märchen und Sagen in die Welt gesetzt, deren bekannteste die Kaisersage ist, wonach Karl der Große und Friedrich Barbarossa dort weiter Hof halten.

Der Bergwanderer ahnt von alledem nichts und hält sich mehr an die Naturschönheiten, die dieser Berg zu offerieren hat: Neben der Almbachklamm, die von zwei Pionierkompanien zu Ende des letzten Jahrhunderts begehbar gemacht wurde, sind weiterhin die Schellenberger Eishöhle und vor allem das Panorama von der Untersberg-Hochfläche zu erwähnen.

Wer's bequem haben will, kann von St. Leonhard mit der Seilbahn hinauf fahren, wer gut zu Fuß ist – und die Anstiegszeiten sind durchaus beachtlich –,kann unter mehreren Anstiegen wählen. Wir wollen hier zwei Anstiege zu einer Rundtour verbinden und beginnen unseren Weg östlich von Marktschellenberg. Ein gut markierter Bergweg führt uns zuerst durch Wald hinauf zur Toni-Lenz-Hütte, von der aus gewöhnlich der Abstecher zur Eishöhle gemacht wird. Weiter geht's dann durch felsiges Gelände über einen aufregenden Steig durch Tunnel und treppenartiges Steiggelände in die Mittagscharte, wo wir uns erstmal entscheiden müssen. Rechts können wir mit einem kurzen Abste-

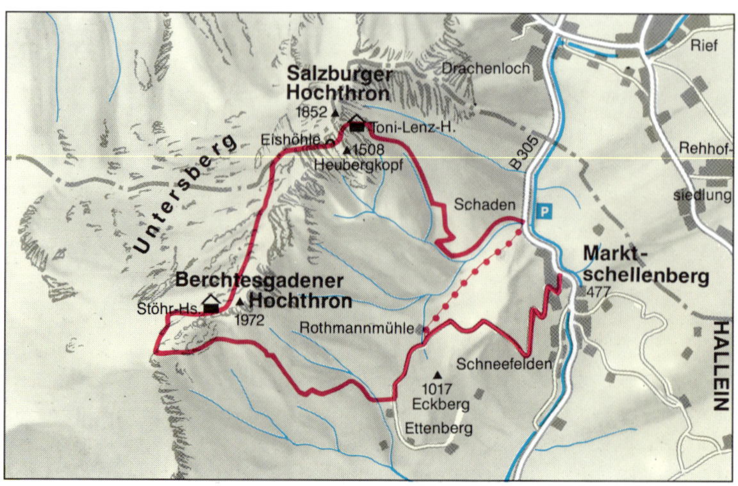

cher dem Salzburger Hochthron einen Besuch abstatten, links führt uns ein schöner Steig in stetem Auf und Ab hinüber zum Stöhrhaus, wo wir uns eine Übernachtung gönnen sollten, um das phantastische Panorama bei Sonnenuntergang und bei Sonnenaufgang genießen zu können. Der Berchtesgadener Hochthron, die höchste Erhebung des Untersbergmassivs, ist von der Hütte in einer Viertelstunde erreichbar, bzw. wir haben ihn beim Plateau-Übergang beinahe berührt. Um abzusteigen, folgen wir dem Steig weiter Richtung Süden und gehen dann bald links durch das Gatter beim Leiterl und ein Stück den Hang hinab, wo sich der Weg verzweigt. Wir halten uns links Richtung Scheibenkaser, wobei wir zuerst links zu den Felsen des Hochthrons hinüberqueren, dann steil absteigen nach Ettenberg, wo wir auf eine Fahrstraße treffen. Auf dieser hinaus nach Marktschellenberg.

Das Stöhrhaus auf dem Untersberg.

HÜTTEN/EINKEHR
Toni-Lenz-Hütte, 1411 m (von Ende Mai bis Mitte Oktober bewirtschaftet, 12 Betten); Stöhrhaus, 1894 m (AV-Hütte, von Ende Mai bis Mitte Oktober bewirtschaftet, 16 Betten, 66 Lager).

KARTE
Topographische Karte 1 : 50 000, Sonderblatt „Berchtesgadener Alpen“ (BLVA).

9 BIRNHORN

Höchster Gipfel der Leoganger Steinberge

GIPFEL
Birnhorn, 2634 m.

TALORT
Leogang, 788 m.

AUSGANGSPUNKT
Ullach, 797 m, bei Leogang.

ANFAHRT
a) mit dem Auto: Salzburger Autobahn bis Inntaldreieck, dann weiter Richtung Innsbruck bis zur Abfahrt Kufstein-Süd. Auf der Landstraße über St. Johann i. T. und Fieberbrunn nach Leogang auf der Südseite der Leoganger Steinberge. Von Leogang durch den Ortsteil Ullach bis zum Parkplatz an der Brücke unterhalb des Gunzenreitbauern.
b) mit Bahn/Bus: Auf der Strecke München – Innsbruck bis zum Eisenbahnknotenpunkt Wörgl, dann umsteigen in die Bahn nach Zell am See bis zum Bahnhof „Leogang". Von dort zu Fuß zum Ausgangspunkt in Ullach.

GEHZEITEN
Von Leogang auf die Passauer Hütte 3 Std., für den Anstieg auf das Birnhorn über die Kuchelnieder benötigen wir weitere 1½ Std., Rückweg vom Gipfel über den Hofersteig zur Passauer Hütte 1 Std., Abstieg ins Tal 2 Std. Gesamtgehzeit: 7½ Std.

SCHWIERIGKEIT
Der Anstieg zur Passauer Hütte erfolgt auf gut gesichertem und markiertem Steig. Im oberen Teil sehr stark der Sonne ausgesetzt. Die Gipfelrunde erfordert den trittsicheren und schwindelfreien Berggeher; der Steig ist teilweise gesichert und führt über die teils schmalen Bänder der West- und Südseite.

HÜTTEN/EINKEHR
Passauer Hütte, 2051 m (AV-Hütte, von Mitte Juni bis Anfang Oktober bewirtschaftet, 47 Lager). Einzige Hütte in den Leoganger Steinbergen.

KARTE
Amtliche österreichische Karte 1:50 000 des Bundesamtes für Eich- und Vermessungswesen, Blatt 123 („Zell am See").

Das Birnhorn gilt zu Recht als einer der formschönsten Berge der Nördlichen Kalkalpen. Ludwig Purtscheller, der große Einzelgänger und Freund des führerlosen Bergsteigens, der bei seinen einsamen alpinen Touren stets ein Giftfläschchen mit sich führte, als „letzten Trost" für ausweglose Situationen, rühmte schon vor über hundert Jahren die eindrucksvolle Aussicht von seinem Gipfel: „Das Birnhorn hat, ich glaube mich nicht zu täuschen, unter allen Kalkgipfeln Salzburgs, den Hochkönig und Dachstein nicht ausgenommen, die umfassendste und schönste Aussicht. Es übertrifft hierin noch das Kaisergebirge."
Das Birnhorn, zugleich der höchste Gipfel der Leoganger Steinberge, beeindruckt zuerst natürlich mit seiner riesigen Südostwand, die eine ähnlich imposante Szenerie bietet wie die berühmt-berüchtigte Watzmann-Ostwand. Auch wenn sich hier gelegentlich Kletterer ihre Route durch die 1600 Meter hohe Wand suchen (zum ersten Mal durchstiegen wurde sie am 1. Oktober 1900), den Andrang, den ihre Konkurrentin in den benachbarten Berchtesgadener Alpen alljährlich erfährt, wird sie nie erleben. Wie in den Loferer Steinbergen, gibt es auch hier nur einen alpinen Stützpunkt für Bergsteiger, die Passauer Hütte, ein bereits 1891 erbautes gemütliches Refugium, wie man es heutzutage eher selten findet.

Den Hüttenanstieg von Leogang sollten wir am besten in aller Früh oder am späten Nachmittag angehen; der Latschenkessel im oberen Bereich gleicht jedenfalls im Sommer einer Backstube. Von Ullach, oberhalb von Leogang, gehen wir zuerst bis zum Ende der Fahrstraße, dann über eine Brücke, und folgen dann ein kurzes Stück dem Örgenbach. Bald rechts weg und durch Wald hinauf bis zur Latschenzone (auf halber Strecke haben wir die Möglichkeit, einen Abstecher zum Birnbachloch zu machen, einer Schauhöhle auf 1350 Meter Höhe am Fuß der eindrucksvollen Birnhorn-Südostwand, mit einem Quellausfluß, der von einem unterirdischen See gespeist wird); dann bis unter die Felsen des Hochzint. In steilen Kehren – zum Teil gesichert – nun hinauf zum Hochtor und weiter zur Mittagsscharte zwischen Hochzint und Mitterhorn; von dort in wenigen Minuten zur Hütte.

Die Gipfelrundtour: Von der Hütte gehen wir auf Steig Richtung Westen, bis sich die Wege nach 10 Minuten trennen: Wir bleiben rechts und halten auf die Kuchelnieder zu, einer Einsattelung zwischen Birnhorn und Kuchelhorn; dann vorbei am oberen Rand der Hochgrub bis zum Fuß des Birnhorn-Ostgrates. Dort rechts über ein Geröllfeld und in die Rinne, die von der Kuchelnieder herabzieht; auf gesichertem Steig hinauf zu dieser. Von hier über breite Bänder auf den Gipfel.

Der Rückweg: Wir steigen zuerst ein kurzes Stück auf dem Westgrat abwärts, dann auf Band in die Südwand. Über Steilstufen und Bändern hinab (z. T. gesichert) zum sogenannten Melkerloch, einem Felsentor zwischen Birnhorn und Hochzint, das wir von Nord nach Süd durchqueren, und zurück zur Hütte.

Oben: Das Birnhorn im Abendlicht. Deutlich zu erkennen, die charakteristische starke Bänderung des Gipfelaufbaus.

Links: Die Passauer Hütte auf der Mittagsscharte zwischen Fahnenköpfl und Hochzint. Diese einzige Schutzhütte in den Leoganger Steinbergen wurde bereits 1891 erbaut und hat sich seit ihrer Grundsteinlegung gründlich gewandelt.

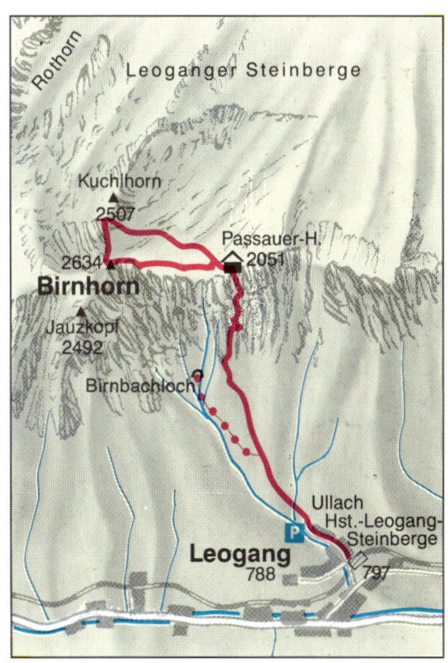

10 HINTERHORN UND OCHSENHORN

Ins Herz der Loferer Steinberge

GIPFEL
Großes Hinterhorn, 2506 m.
Großes Ochsenhorn, 2511 m.

TALORT
Lofer, 626 m.

AUSGANGSPUNKT
Loferer Hochtal.

ANFAHRT
a) mit dem Auto: Auf der Salzburger Autobahn bis zur Abfahrt Siegsdorf, dann über Schneizlreuth nach Lofer; dort links um den Ort herum Richtung Paß Strub. Bald nach den Tennisplätzen links in das Loferer Hochtal und bis zum Ende der Fahrstraße. Dort Parkmöglichkeit.
b) mit Bahn/Bus: Auf der Strecke München – Innsbruck bis Kufstein, von dort Busverbindung über Ellmau nach Lofer (nur um 8.05 Uhr); bzw. mit der Bahn ab Wörgl bis St. Johann, dann auf Bus umsteigen.

GEHZEITEN
Aus dem Loferer Hochtal zur von-Schmidt-Zabierow-Hütte 3 Std., Anstieg von der Hütte auf das Große Hinterhorn 1¾ Std., Abstieg zur Hütte 1 Std. Abstieg ins Tal 2 Std. Gesamtgehzeit: knappe 7¾ Std. Anstieg von der Hütte auf das Große Ochsenhorn 1½ Std., Abstieg zur Hütte 1 Std. Abstieg ins Tal 2 Std. Gesamtgehzeit: 7½ Std.

SCHWIERIGKEIT
Der Anstieg auf die von-Schmidt-Zabierow-Hütte erfolgt auf gut begehbarem alpinen Steig, der sich im letzten Teil etwas hinzieht. Der Gipfelweg auf das Große Hinterhorn erfordert Trittsicherheit, ist aber objektiv nicht gefährlich. Der Anstieg auf das Große Ochsenhorn ist ebenfalls markiert, erfordert aber Trittsicherheit und Schwindelfreiheit, wobei durchaus die Hände etwas mithelfen müssen.

HÜTTEN/EINKEHR
Von-Schmidt-Zabierow-Hütte, 1966 m (AV-Hütte, von Ende Juni bis Ende September bewirtschaftet, 9 Betten, 64 Lager).

KARTEN
Alpenvereinskarte 1:25 000 „Loferer Steinberge".

Der helle Fels der Loferer Steinberge überragt den des weit berühmteren Kaisergebirges um einige hundert Höhenmeter, doch ihre Beliebtheit steht in umgekehrtem Verhältnis dazu. Nur eine einzige Alpenvereinshütte hat man auf ihre Höhen gebaut, doch die von-Schmidt-Zabierow-Hütte auf dem Gamskopf bietet einen herrlichen Blick auf das Loferer Becken, und sie gehört zu den gemütlichsten, die die Nördlichen Kalkalpen zu bieten haben. Die beiden höchsten Gipfel dieses felsigen und schroffen Karstgebirges, Großes Hinterhorn, 2506 m, und Großes Ochsenhorn, 2511 m, lassen sich ideal während einer Wochenendtour mit Hüttenübernachtung verbinden. Die Aussicht von beiden Gipfeln läßt keine Wünsche offen: im Westen Kaisergebirge und Karwendel, im Osten die Berchtesgadener Alpen, im Süden, über die Leoganger Steinberge hinweg, die firngleißenden Gipfel der Zentralalpen.

Der gut beschilderte Hüttenanstieg beginnt im Loferer Hochtal und führt zuerst durch Buchenwald, dann steil hoch und unterhalb der Schwarzwand entlang auf die erste Felsstufe des unteren Tret. Bald verlassen wir die Waldzone und steigen über die verkarsteten Mulden des Mittleren und Hohen Tret in zahlreichen Serpentinen hinauf zur von-Schmidt-Zabierow-Hütte.

Der Anstieg auf das Große Hinterhorn: Von der Hütte wandern wir zuerst Richtung Westen in die Große Wehrgrube bis an den Fuß des Breithorns, dann auf Steig durch seine gebänderte Südflanke hinauf in die Waidringer Nieder, 2302 m, der Einsenkung zwischen Breithorn und Großem Hinterhorn. Hier genießen wir den Blick hinab ins Waidringer Tal und hinüber auf die Felswände der Steinplatte, hinter denen wir die Waldgipfel der Chiemgauer Alpen erkennen. Links führt nun der markierte Steig rechts am Kleinen Hinterhorn vorbei und hinüber zum Großen Hinterhorn. Über die gebänderte Ostseite steigen wir, den

Abstieg vom Gipfel des Großen Hinterhorns (Mitterhorn). Die Klettersteigeinlage ist jedoch nur kurz und auf den Gipfelaufbau beschränkt. Die leichtere Variante befindet sich auf der Nordseite. Im Hintergrund die Glocknergruppe.

Links: Blick über das reizvolle kleine Kircherl von Au bei Lofer auf die Loferer Steinberge. Links erkennen wir noch das Große Ochsenhorn, in Bildmitte das Große Reifhorn, und rechts das Große Hinterhorn (Mitterhorn). Am Nordrand der Großen Wehrgrube, zwischen Reifhorn und Hinterhorn, liegt die einzige Hütte der Loferer Steinberge, die von-Schmidt-Zabierow-Hütte.

Markierungen folgend und gelegentlich Hand an den Fels legend, auf den Gipfel mit Kreuz. Falls wir eine kleine Gipfelrunde drehen wollen, haben wir beim Abstieg über die Westseite Gelegenheit, eine kleine ausgesetzte Klettersteigeinlage zu absolvieren.

Der Anstieg auf das Große Ochsenhorn: Von der Hütte queren wir auf Steig in südöstlicher Richtung hinüber in die Kleine Wehrgrube, dem großen Kar zwischen Reifhorn und Großem Ochsenhorn. Am Fuß der Nordwestflanke folgen wir den Markierungen, die uns links durch einen stark gebänderten, schwach ausgeprägten Grat bis knapp unterhalb des Gipfels leiten. Zuletzt durch eine steile Rinne (oft bis in den Sommer mit Schnee gefüllt), dann auf den Westgrat und in wenigen Metern zum kreuzbesetzten Gipfel. Für den Talabstieg bietet sich dann von hier der Schärdinger Steig nach Kirchenthal an.

11 SONNTAGSHORN

Auf den höchsten Gipfel der Chiemgauer Alpen

GIPFEL
Sonntagshorn, 1961 m.

TALORT
Ruhpolding, 690 m.

AUSGANGSPUNKT
Parkplatz in der Laubau.

ANFAHRT
a) mit dem Auto: Salzburger Autobahn bis zur Ausfahrt Schweinbach bzw. Siegsdorf, dann nach Ruhpolding und weiter 4 km Richtung Reit im Winkl, wo sich auf der linken Seite ein Wanderparkplatz befindet. – Ein weitere Möglichkeit besteht in der Anfahrt über Unken, direkt ins Heutal (zum kürzesten Anstieg).
b) mit Bahn/Bus: Auf der Strecke München – Salzburg bis Traunstein, dort umsteigen auf den Nahverkehrszug nach Ruhpolding. Vom Bahnhof mit RVO-Bus bis zur Haltestelle Laubau.

GEHZEITEN
Vom Parkplatz in der Laubau über den Hinteren Kraxenbach 4½ Std., Abstieg auf der gleichen Route 3 Std., Rückkehr über das Heutal und das Fischbachtal 3½ Std. Falls wir diese Route für den Anstieg benutzen wollen, benötigen wir etwa 5 Std. Gesamtgehzeit: 7½ bis 8½ Std.

SCHWIERIGKEIT
Der Anstieg über den Hinteren Kraxenbach verläuft zuerst auf Forststraße, dann auf z. T. steilem Bergsteig. Etwas mühsam. Trittsicherheit und Schwindelfreiheit erforderlich.
Der Abstieg durch das Fischbachtal erfolgt ebenfalls auf Bergsteig und Forststraße; am Staubfall (gesicherter Steig) einige ausgesetzte Passagen. Achtung: Grenzübertritt!

HÜTTEN/EINKEHR
Alpengasthof Heutal (ganzjährig bewirtschaftet); Jausenstation Hochalm, 1330 m, am Anstiegsweg aus dem Heutal; Jausenstation Fischbachstüberl im Heutal.

KARTE
Topographische Karte 1:50 000, Sonderblatt „Berchtesgadener Alpen“ (BLVA).

Seine beeindruckendste Ansicht bietet das Sonntagshorn, mit 1961 Metern Höhe immerhin der höchste Gipfel der Chiemgauer Alpen, von Nordosten. Mit seiner regelmäßigen Pyramidenform hebt es sich von den Bergen seiner Umgebung vorteilhaft ab. Der klassische, weil einfachste Anstieg beginnt jedoch im Heutal auf seiner Südseite. Da die Anfahrt aus dem Norden für den Normalweg durchaus umständlich zu nennen ist, bleiben wir auf der Nordseite und versuchen uns auf der bergsteigerisch interessanteren Seite. Der Anstieg durch das Hintere Kraxenbachtal ist zwar weit und fordert neben einer Portion Kondition auch Trittsicherheit und Schwindelfreiheit, doch bietet er Bergeinsamkeit, wie sie in dieser Ecke des Chiemgaus eher selten zu finden ist.
Vom Wanderparkplatz in der Laubau halten wir uns zuerst an der Forststraße, die nahezu eben der Schwarzachen entlang zur gleichnamigen Alm führt (hier wurde übrigens 1835 der „letzte“ bayerische Bär erlegt). Wir verlassen auf Höhe der Alm die Forststraße nach rechts und folgen dem Steig, der uns zuerst am Danzingbach entlang bis zur Verzweigung von Mittlerem und Hinterem Kraxenbach bringt. Hier nehmen wir den linken Abzweiger und steigen langsam auf deutlichem Steig links der Klamm durch das Hintere Kraxenbachtal an. Wir überqueren dann den Bach einmal nach rechts und wieder nach links und erreichen dann durch eine Latschengasse ein großes Kar. Etwas mühsam steigen wir linker Hand durch den Schutt aufwärts bis zur Sonntagshornscharte zwischen Aibleck und Sonntagshorn. Von hier den Markierungen folgend hinauf auf den Ostgrat und über diesen zum Gipfel.

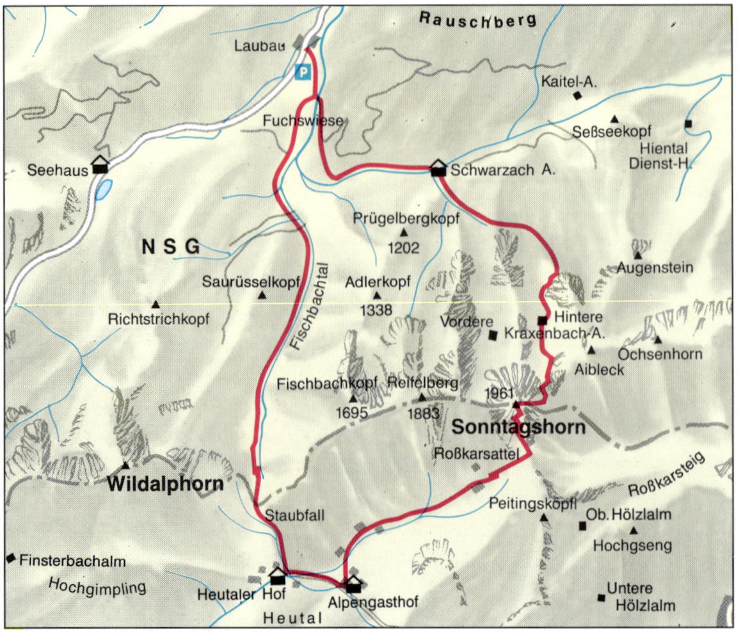

Für den Abstieg wählen wir dann eine sanfte, aber abwechslungsreiche Möglichkeit, die uns nicht nur die Knie schonen läßt, sondern auch ein paar Einkehrmöglichkeiten offeriert. Wir folgen also den zahlreichen Serpentinen auf der Südseite durch Latschen hinab bis zu dem Kamm, der zum Peitingköpfl hinüberleitet; hier gehen wir rechts hinab zu den Hütten der Hochalm und zur gleichnamigen Jausenstation. Auf Fahrweg weiter hinab ins Heutal. Wir gehen am Gasthof Heutal vorbei, wo uns dann bald ein Wegweiser Richtung Staubfall und Laubau die Richtung weist. Zuerst eben am Wiesenrand entlang bis zum Ende der Hochfläche, dann auf gesichertem Steig durch die enge Schlucht des Fischbaches – vorbei an Staubfall und Fischbachfall – hinab durch Wald bis zum Beginn einer Forststraße. Auf ihr nun gemütlich hinaus zur Laubau und damit zum Ausgangspunkt unserer Tour.

Das Sonntagshorn bietet von der Schwarzachenalm eine seiner markanten Seiten.

12 HOCHSTAUFEN

Von Bad Reichenhall über die Stoanern Jager

GIPFEL
Hochstaufen, 1771 m.

TALORT
Bad Reichenhall, 472 m.

AUSGANGSPUNKT
Ausflugsgaststätte Padinger Alm, 667 m, oberhalb von Nonn.

ANFAHRT
a) mit dem Auto: Auf der Salzburger Autobahn bis zur Ausfahrt Piding, dann auf der Landstraße (Umgehungsstraße) rechts seitlich an Bad Reichenhall vorbei bis zur Abzweigung nach Karlstein. Über die Kretabrücke, dann rechts nach Nonn und hinauf zur Padinger Alm. Dort Parkmöglichkeit.
b) mit der Bahn: Mit Kurswagen oder Direktverbindung von München nach Bad Reichenhall (Hbf). Vom Bahnhof auf der Bahnhofstraße, dann auf deren Verlängerung – der Wittelsbacherstraße – zu Fuß bis zur Kurfürstenstraße. Dort rechts zur Umgehungsstraße, durch die Unterführung und auf Wanderweg der Markierung K4 und N3 folgend zuerst über den Nonner Steg, dann links haltend durch den Kurpark Nonner Au auf gut beschildertem Weg hinauf zur Padinger Alm.

GEHZEITEN
Vom Hauptbahnhof zur Padinger Alm 1 Std., von dort zum Reichenhaller Haus bzw. zum Staufen-Gipfel 3 Std., Abstieg 2 bis 3 Std. Gesamtgehzeit: 5 – 6½ Std.

SCHWIERIGKEIT
Trittsicherheit und Schwindelfreiheit für den Anstieg über die Stoanern Jager erforderlich; der Abstieg über die Bartlmahd ist leicht (auch als Anstiegsweg für Kinder geeignet).

HÜTTEN/EINKEHR
Reichenhaller Haus, 1771 m (Mitte Mai bis Mitte Oktober bewirtschaftet, 6 Betten, 24 Lager); Padinger Alm, 667 m (ganzjährig bewirtschaftet).

KARTE
Topographische Karte 1:50 000, Sonderblatt „Berchtesgadener Alpen" (BLVA).

Am Nordwestrand der Kurstadt Bad Reichenhall, des „bayerischen Meran", steht ein isolierter, mehrgipfeliger Gebirgskamm, dessen markanteste Erhebung, der Hochstaufen, sich 1300 Meter über dem Talboden erhebt. Als alpines Wahrzeichen der Stadt, die sich weniger als Bergsteigerstadt denn als Salzmetropole einen Namen gemacht hat, kann sich der Hochstaufen nicht nur seiner imponierenden Gestalt, sondern mehr noch seiner Aussicht wegen eines regen Zulaufs erfreuen. An klaren Tagen bietet sich von seinem Gipfel nicht nur eines der besten Panoramen der Berchtesgadener Alpen, ja, der Blick Richtung Osten reicht dann bis zu den Kämmen des Bayerischen Waldes. Knapp unter seinem Gipfel liegt das einladende Reichenhaller Haus.
Zwei sehr unterschiedliche Steige bieten sich auf der Südseite zu einer abwechslungsreichen Rundtour an, wobei der Aufstieg am besten über die sogenannten „Stoanern Jager" – zwei sagenumwobene Felsgestalten auf dem Ostgrat –, der Abstieg aber über die bequemere Bartlmahd erfolgt.
Vom Parkplatz bei der Padinger Alm, unserem Ausgangspunkt, gehen wir zunächst auf einer Forststraße durch flachen Nadelwald bis zu einer Wegverzweigung. Dort rechts auf einem Waldweg weiter, der sich bald zu einem Steig verengt. Zuerst noch durch Wald, dann über freieres Gelände, vorbei an einem Brunnen, über die Buchmahd hinauf zum luftigen Ostgrat. Zuerst auf diesem, dann etwas unterhalb durch das stufige Gelände der Südflanke (im Sommer stark der Sonne ausgesetzt) zum Unterkunftshaus knapp unterhalb des Gipfels. Von dort in wenigen Minuten hinauf zum kreuzbesetzten höchsten Punkt. – Der Abstieg erfolgt auf dem breiten Weg, der zuerst auf, dann knapp unterhalb des Grates verläuft, der Hoch- und Mittelstaufen verbindet, und dann in Serpentinen durch schrofiges, latschendurchsetztes Gelände zu den steilen Wiesen der Bartlmahd hinabführt. Dort links haltend (Wegverzweigung) nun durch Wald hinab, bis wir wieder auf die Forststraße treffen, die wir bereits zu Beginn des Anstiegs benutzt haben, und hinab zum Parkplatz bei der Padinger Alm.

Wenn die dicken Herbstnebel die Täler füllen, bietet der Hochstaufen eine großartige Gipfelschau. Blick über das Reichenhaller Haus hinweg auf die Bergkuppen des Salzkammerguts. Das Reichenhaller Haus, knapp unterhalb des Gipfels gelegen, war 1993 Schauplatz einer Tragödie: Man fand das Hüttenpächter-Ehepaar ermordet in der Gaststube auf. Ein Schock, der in den Medien Wellen schlug.

Links: Blick vom Hochstaufen Richtung Westen: im Mittelgrund Müllnerhorn und Ristfeuchthorn, dahinter die Loferer Steinberge.

13 RAUSCHBERG

Schneller Gipfelerfolg, gemütlicher Abstieg

GIPFEL
Rauschberg, 1671 m.

TALORT
Ruhpolding, 690 m.

AUSGANGSPUNKT
Talstation der Rauschbergbahn, Parkplatz an der Deutschen Alpenstraße in Nähe Bergbahn.

ANFAHRT
a) mit dem Auto: Auf der Salzburger Autobahn bis zur Abfahrt Siegsdorf, dann auf der Landstraße nach Ruhpolding und weiter Richtung Reit im Winkl. Etwa 2 km nach dem Ortszentrum treffen wir auf die Deutsche Alpenstraße, dort links und gleich wieder rechts zur Talstation der Rauschbergbahn. Um zum Parkplatz an der Deutschen Alpenstraße zu gelangen, fahren wir nur ein paar Meter weiter in Richtung Inzell.
b) mit Bahn/Bus: Auf der Strecke München – Salzburg bis Traunstein, dort umsteigen in den Nahverkehrszug nach Ruhpolding. Vom Bahnhof mit RVO-Bus bis zur Talstation der Rauschbergbahn.

GEHZEITEN
Anstieg aus dem Tal 3½ Std. (bei Benutzung der Bergbahn nur 1 Std. Gehzeit bis zum höchsten Punkt, dem Hinteren Rauschberg); Abstieg über den Kienbergsattel 2 Std. Gesamtgehzeit: 5½ Std.

SCHWIERIGKEIT
Der Anstieg über die Sandreise auf der Westseite des Rauschbergs erfolgt auf schmalem, aber gut begehbarem Bergsteig, der im oberen Teil in bequeme Wanderwege übergeht. Den Abstieg bewältigen wir auf Forstwegen und einem Stück Bergsteig. Beim Anstieg Trittsicherheit erforderlich.

HÜTTEN/EINKEHR
Rauschbergbahn-Gipfelstation, 1645 m, und Restaurant Taubensee an der Talstation, 675 m (beide nahezu ganzjährig bewirtschaftet).

KARTE
Topographische Karte 1:50 000, Sonderblatt „Berchtesgadener Alpen" (BLVA).

Seinen einladenden Namen hat sich der „Rausch"-Berg nicht durch Massen alkoholisierter Seilbahnfahrer unredlich erworben. Im Gegenteil: Der Name zeugt von ehemals harter Arbeit an diesem Hausberg der Ruhpoldinger. Bereits 1650 wurden die ersten Stollen in den Berg getrieben, um Blei- und Zinkerze abzubauen. Wegen Unrentabilität mußte der Bergbau allerdings bereits 1826 wieder eingestellt werden. „Rausch" wurde dabei das im ersten Verarbeitungsgang im Waschwerk aus Galmei und Schottergestein abgesonderte Bleierz genannt. Die Spuren des Bergbaus sind verschwunden. Der Name des Berges ist geblieben, doch er hat sich mittlerweile vom Arbeitsberg zum Freizeitberg gewandelt. Nicht wenig dazu beigetragen hat dazu der Bau der Rauschbergbahn in den fünfziger Jahren dieses Jahrhunderts. Seit ihrer Einweihung im Jahre 1953 hat sie wohl 8,5 Millionen Fahrgäste auf seinen Gipfel transportiert. Damals galt sie als „schnellste und steilste Seilbahn Deutschlands". Auf seinem Gipfelkamm erwartet den flotten Gipfelstürmer dann ein Gasthaus und ein informativer Alpenlehrpfad mit 60 Schaukästen, in denen der Wanderer über die Geologie sowie Flora und Fauna der Chiemgauer Alpen aufgeklärt wird. Von den zahlreichen Wanderwegen am Rauschberg sei hier der schnelle Gipfelsturm und die anschließende gemütliche Talwanderung über den Kienbergsattel empfohlen.

Nachdem uns die rasante Seilbahn über schroffe Felswände in knapp fünf Minuten auf den Vorgipfel des Vorderen Rauschbergs und damit auf eine Höhe von1630 Meter gehievt hat, genießen wir erst einmal die Aussicht auf die umliegenden Berge (Hochstaufen, Reiter Alm, Sonntagshorn) und natürlich den Tiefblick auf Ruhpolding und den dahinter heraufblinkenden Chiemsee. Für den Besuch des Vorderen Rauschberggipfels (1645 m) benötigen wir nur wenige Minuten. Den hinteren Rauschberggipfel (1671 m) erreichen wir entlang des gut ausgebauten Alpenlehrpfades in 20 Minuten – bei ausführlicher Lektüre natürlich etwas später. Um auf den Abstiegsweg zu gelangen, gehen wir vom Gipfel ein Stück zurück und gehen dann links den steilen Steig hinunter zur Rauschbergalm, wo wir auf einen breiten Wirtschaftsweg treffen, der bald in eine Forststraße einmündet. Auf dieser dann nur leicht fallend durch die Südseite des Hinteren Rauschbergs zum Kienbergsattel, wo uns ein kurzer Abstecher nach rechts zur bewirtschafteten Kienbergalm führt. Am Kienbergsattel dann links hinab in die „Roßgasse" zwischen Inzeller Kienberg und Hinterem Rauschberg und in einigen Schleifen hinab zur Endres-Diensthütte. Wir halten uns dabei immer links und umrunden so den Rauschberg. Bei der Forststraßenkreuzung gehen wir links, queren den Rauschberglahner und treffen dann auf den durch die „Sandreise" herabführenden Steig (den wir auch als Anstiegsweg benutzen könnten), und dem wir nun rechts hinab folgen, bis wir wieder auf eine Forststraße treffen, die uns aus dem Wald hinaus zur Bundesstraße zu einem kleinen Parkplatz führt. Dort links auf breitem Weg zurück zur Talstation der Seilbahn.

***Oben:** Blick auf den Rauschberg, den Hausberg der Ruhpoldinger, von Nordwesten.*

***Links:** Die Rauschbergalm, auf der Südseite des Gipfels, wird noch heute mit Jungvieh bestoßen.*

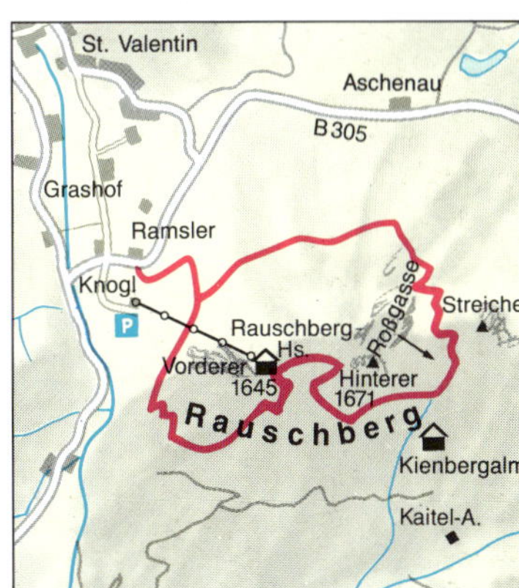

14 HÖRNDLWAND

Stiller Winkel hinter Ruhpolding

GIPFEL
Hörndlwand, 1684 m.

TALORT
Ruhpolding, 690 m.

AUSGANGSPUNKT
Gasthaus Seehaus, 722 m, an der Straße nach Reit im Winkl.

ANFAHRT
a) mit dem Auto: Von der Autobahnausfahrt Siegsdorf bzw. Schweinbach der Salzburger Autobahn nach Ruhpolding, von dort 8 km weiter Richtung Reit im Winkl. Parkplatz beim Gasthaus Seehaus. Dort beginnt der Wanderweg.
b) mit Bahn/Bus: Auf der Strecke München - Salzburg bis Traunstein, dort umsteigen in den Nahverkehrszug nach Ruhpolding. Vom Bahnhof dann mit RVO-Bus bis zur Haltestelle Seehaus.

GEHZEITEN
Anstieg 2½ Std.; Abstieg 1½ Std. Gesamtgehzeit: 4 Std.

SCHWIERIGKEIT
Bis zur Branderalm Wirtschaftsweg, von dort überwiegend Bergsteig. Für die letzten Meter am Gipfelaufbau Trittsicherheit erforderlich.

HÜTTEN/EINKEHR
Gasthaus Seehaus, 722 m (ganzjährig bewirtschaftet); Branderalm, 1120 m (nur im Sommer bewirtschaftet, keine Übernachtungsmöglichkeit).

KARTE
Topographische Karte 1:50 000, Sonderblatt „Chiemgau und Umgebung" (BLVA).

Obwohl der Seehauser Hochkienberg – so heißt der stark bewaldete Bergzug mit dem eher geläufigen Gipfelnamen Gurnwand und Hörndlwand – von Nordwesten wie von Osten eine beindruckende Gestalt abgibt, mit steil aus den bewaldeten Flanken herausstrebenden Felswänden, scheint er bei den Wanderfreunden eine vernachlässigte Größe zu sein. Wohingegen die Kletterer dieses Massiv schon um die letzte Jahrhundertwende entdeckt haben. Und noch heute gilt es neben Kampenwand und Hochplatte als die interessanteste Spielwie-

Beim Anstieg zur Hörndlwand. Die Wanderer befinden sich etwas oberhalb der Branderalm, oberhalb des Ostertalgrabens.

Die Südostseite der Hörndlwand, vom Ostertal aus gesehen. Der Anstieg zum Gipfelplateau verläuft hier in steilen Serpentinen links von der Wand durch das Ostertalkar.

se für die Liebhaber der Senkrechten in den Chiemgauer Alpen. Wer jedoch bei der urgemütlichen Branderalm oder auf dem Gipfelplateau Rast gemacht hat, weiß, daß er wiederkommen wird.
Man kann die Hörndlwand von mehreren Seiten besteigen, wobei der Anstieg über die Nordseite nur dem bergerfahrenen Wanderer vorbehalten ist. Doch es besteht die Möglichkeit, von Ruhpolding aus den Gipfel in einer schönen Höhenwanderung über den Unternberg zu erreichen, wobei wir uns einige Anstiegsmeter ersparen können, wenn wir den Sessellift in Anspruch nehmen. Der beliebteste – weil schnellste – Anstieg beginnt allerdings in Seehaus, an der Straße von Ruhpolding nach Reit im Winkl. Wir steigen auf dem gut markierten, breiten Forst- bzw. Wanderweg zuerst gemütlich hinauf zur aussichtsreich gelegenen Branderalm, die wir in einer Stunde Gehzeit erreichen. Kurz vor der Alm zweigt links der Weg Richtung Hörndlwand ab. Am Rand der Almwiesen entlang steuern wir zuerst auf den Nadelwald zu, der uns noch etwas Schatten gewährt, bis wir durch das der Sonne ausgesetzte Ostertal ansteigen müssen. 20 Minuten oberhalb der Branderalm verzweigt sich dann der Weg. Wir halten uns links. Durch schattigen Wald steigen wir auf dem gut angelegten Steig höher, bis dieser sich öffnet und wir das steile Kar des Ostertals vor uns liegen sehen. Über steile Serpentinen erreichen wir dann bald das freie Gipfelplateau, wo uns nur mehr eine Viertelstunde Gehzeit vom eigentlichen Gipfel trennt. Nach einem kurzen Anstieg durch schrofiges Gelände dürfen wir über den phantastischen Tiefblick auf Ruhpolding staunen. Für den Rückweg nehmen wir bequemerweise den Anstiegsweg.

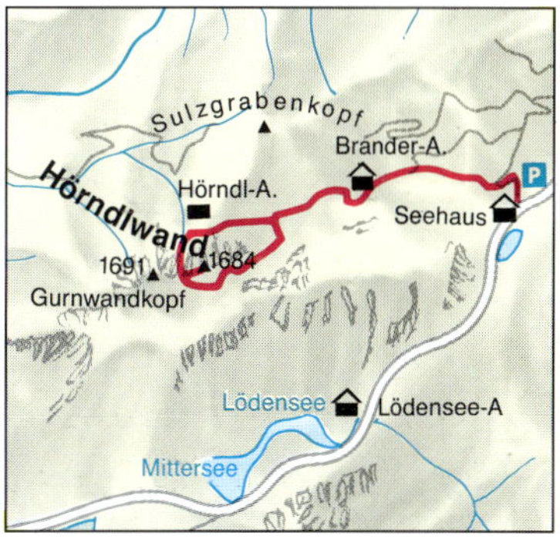

15 HOCHFELLN

Hausberg der Ruhpoldinger

GIPFEL
Hochfelln, 1664 m.

TALORT
Bergen, 553 m.

AUSGANGSPUNKT
Talstation der Hochfellnbahn bzw. Steinbergalm, 1000 m.

ANFAHRT
a) mit dem Auto: Auf der Salzburger Autobahn bis zur Ausfahrt Bergen, dann zur Talstation der Hochfellnbahn. Oder: Bis zur Autobahnausfahrt Schweinbach bzw. Siegsdorf, dann auf der Landstraße nach Ruhpolding. Am Ortseingang rechts halten und Richtung Brand fahren, nach 1½ km Abzweigung nach rechts zur Steinbergalm. Dort Parkplatz und Straßenende.
b) mit Bahn/Bus: Auf der Strecke München – Salzburg bis zum Bahnhof Bergen; von dort (mit RVO-Bus oder in einer halben Stunde zu Fuß) zum Ausgangspunkt an der Talstation. Oder: Mit der Bahn bis Traunstein, dort in den Nahverkehrszug nach Ruhpolding. Vom Bahnhof mit Privatbus (Reisebüro Horn) hinauf zur Steinbergalm.

GEHZEITEN
Abstieg vom Hochfelln-Gipfel über Brünndlingalm und Kohlstattalm zur Talstation 3 Std.; Gipfelanstieg von der Steinbergalm 1¾ Std.; Rückweg zur Steinbergalm 1¼ Std. Gesamtgehzeit: jeweils 3 Std.

SCHWIERIGKEIT
Bergsteig zwischen Gipfel und Brünndlingalm. Die übrigen Strecken sind Forstwege bzw. Fahrstraßen.

HÜTTEN/EINKEHR
Steinbergalm, 1000 m; Brünndlingalm, 1240 m; Berggasthaus Öderkaser, 1161 m; Hochfellnhaus, 1671 m; Kohlstattalm, 720 m. Alle sind ganzjährig bewirtschaftet.

KARTE
Topographische Karte 1: 50 000, Sonderblatt „Chiemsee und Umgebung" (BLVA).

Sieben Meter hoch und 35 Zentner schwer ist das Gipfelkreuz auf dem Hochfelln. Wahrlich ein Tribut an einen bemerkenswerten Aussichtsberg. Am Bergfuß des Hochfelln in der Maximilianshütte gegossen, wurde es anläßlich des 100. Geburtstags von König Ludwig I. am 22. August des Jahres 1886 aufgestellt. Wie die Chronik berichtet, trugen 38 Männer das schwerste Teil mit einem Gewicht von 10 Zentnern von der Brünndlingalm bis auf den Gipfel. Das Königreich wurde 1918 und die Maximilianshütte 1925 stillgelegt. Doch heute umlagern manchmal Hunderte Gipfelstürmer eines der schönsten und größten Gipfelkreuze in den Bayerischen Alpen. Der Hochfelln galt schon früher als eines der beliebtesten Wanderziele in den Chiemgauer Alpen, doch seit Errichtung der Hochfellnbahn 1971 hat sich die Zahl der Liebhaber vervielfacht. Mehrere Pluspunkte haben dazu beigetragen: zum einen eine phantastische Aussicht (sie gilt als eine der schönsten in den Chiemgauer Alpen), zum anderen mehrere einladende Brotzeitstationen, wobei das Hochfellnhaus (eine ehemalige Alpenvereinshütte) direkt auf dem Gipfel steht; und wer etwas Besinnung sucht, findet sie an der Taborkapelle gleich in der Nähe des Gipfelkreuzes.
Zahlreiche Wege führen auf diesen selbständigen Bergstock, doch werden – so scheint's – diejenigen eher weniger, die die 1000 Höhenmeter ohne Steighilfe bewältigen wollen. Deshalb hier das Angebot

Rast auf dem höchsten Punkt des Hochfelln. ImHintergrund der Hochgern.

Nur wenige Meter oberhalb der Bergstation liegt das Hochfellnhaus, ein ehemaliges Alpenvereinshaus. Links davon das Taborkirchlein, bei dem alljährlich am 6. August das Hochfellnfest gefeiert wird.

zweier Möglichkeiten: Aufstieg auf den Hochfelln vom höchstmöglichen Ausgangspunkt bei der Steinbergalm oder Auffahrt mit der Bahn von Bergen und Abstieg über die Kohlstattalm.
Von der Steinbergalm zieht sich ein breiter, einfach zu begehender Wirtschaftsweg nahezu eben zuerst durch Almgelände, dann durch Wald hinüber zur bewirtschafteten Brünndlingalm. An dieser vorbei, bis bald links der bezeichnete Steig zum Hochfellngipfel abzweigt. Zuerst steigen wir sanft, dann allmählich steiler immer links haltend hinauf ins steile Kar unterhalb der Tröpflwand, wo wir uns in Serpentinen in die Scharte im Kamm der Strohnschneid bemühen müssen, die den Übergang auf die Westseite des Hochfelln markiert. Hier nun rechts haltend durch einen steilen Hang hinauf zum Hochfellnhaus und zum nahegelegenen Gipfel.
Falls wir von der Bergener Seite kommen, nutzen wir die schnellste Seilbahn Bayerns, um rasch die gewaltige Aussicht bewundern zu können. Nach einer ausgiebigen Gipfelschau machen wir uns dann an den Abstieg, wobei wir den gerade beschriebenen Weg hinab zur Brünndlingalm benutzen. Wir gehen dann von der Alm noch eine Viertelstunde auf dem Wirtschaftsweg Richtung Osten bis zu einer Wegverzweigung. Dort halten wir uns nun links (rechts geht's zur Steinbergalm) und steigen im Linksbogen hinab zur Gleichenbergalm und weiter auf der Forststraße bis zur Kohlstattalm, wo wir auf eine befestigte Fahrstraße treffen. Hier bietet sich noch eine reizvolle Möglichkeit zur Einkehr, bis wir die restlichen 4 Kilometer an der schmalen Fahrstraße entlang zu unserem Ausgangspunkt in Angriff nehmen.

16 HOCHGERN

Von Marquartstein über die Staudacher Alm

GIPFEL
Hochgern, 1748 m.

TALORT
Marquartstein, 545 m

AUSGANGSPUNKT
Wanderparkplatz oberhalb der Burg in Marquartstein.

ANFAHRT
a) mit dem Auto: Von der Autobahnausfahrt Bernau der Salzburger Autobahn auf Landstraße über Bernau und Grassau nach Marquartstein. Vom Ortszentrum rechts an der Burg vorbei führt ein kurzes und steiles, aber asphaltiertes Sträßchen zum Wanderparkplatz oberhalb.
b) mit Bahn/Bus: Auf der Strecke München - Salzburg bis zum Bahnhof Übersee, von dort mit RVO-Bus nach Marquartstein.

GEHZEITEN
Vom Wanderparkplatz zur Schnappenkirche 1½ Std., Übergang zur Staudacher Alm ½ Std., Anstieg auf den Hochgern Gipfel 1½ Std., Abstieg über das Hochgernhaus zum Ausgangspunkt 2½ Std. Gesamtgehzeit: 6 Std.

SCHWIERIGKEIT
Der Anstieg zur Schnappenkirche erfolgt auf schmalem Forstweg, der Übergang zur Staudacher Alm auf Wanderweg; der Anstieg von dort zum Hochgern-Gipfel ist z.T. steil und rutschig (bei Nässe), schmaler Bergsteig; der Rückweg ist einfach und erfolgt überwiegend auf breitem Almweg bzw. auf gesperrter Fahrstraße (vom Hochgernhaus).

HÜTTEN/EINKEHR
Staudacher Alm, 1150 m (während der Weidezeit Brotzeit und Getränke); Hochgernhaus, 1510 m, (ganzjährig bewirtschaftet, 10 Betten, 20 Lager); Agergschwendalm

KARTE
Topographische Karte 1:50 000, Sonderblatt „Chiemsee und Umgebung" (BLVA).

Die Anhänger beider Gipfel – des Hochfelln und des Hochgerns – streiten sich um die Vorzüge dieser Voralpenberge: denn beide bieten eine phantastische Aussicht auf die umliegenden Berge, da jeder einen Eckpfeiler am Alpennordrand darstellt und freie Sicht auf die reizvolle Moränenlandschaft um den Chiemsee bietet. Im Gegensatz zum Hochfelln und zur Kampenwand bietet der Hochgern noch Herausforderung, da keine Seilbahn den Anstieg auf seinen Gipfel erleichtert. Den reizvollsten, weil abwechslungsreichsten Anstieg bietet die Runde über die Schnappenkapelle und die Staudacher Alm.
Vom Parkplatz oberhalb der Burg in Marquartstein folgen wir an dessen oberstem Ende dem rechten Ziehweg bis zu einer Wegverzweigung und dann der Ausschilderung „Schnappenberg", bis wir nach etwa eineinhalb Stunden Gehzeit die Schnappenkapelle erreichen, wo sich ein schöner Blick auf das Alpenvorland bietet. Bei der Kapelle leitet uns dann ein Wegweiser zum Wanderweg Richtung Staudacher Alm. Zwischen Luchsfallwand und Schnappenberg gehen wir zuerst leicht ansteigend, dann nahezu eben hinüber zur bewirtschafteten Alm. Ab hier wird der Anstieg schweißtreibend. Gleich hinter der Alm zeigt uns ein Wegweiser den schmalen, serpentinenreichen Pfad hinauf in die Einsenkung unterhalb des Hochgern-Gipfels. Dort dann rechts hoch zum Gipfelkamm und im Linksbogen zum höchsten Punkt. Der Abstieg zum einladenen Hochgernhaus ist dann nicht zu verfehlen: Wir gehen ein Stück auf dem Anstiegsweg zurück und wandern dann auf breitem Wanderweg zum bereits von weitem sichtbaren Haus. Seine aussichtsreiche Lage und sein Charme hält uns davon ab, sofort ins Tal abzusteigen. Von dort führt ein breiter Wirtschaftsweg in zahlreichen Serpentinen hinab zur Agergschwendalm, 1040 m. Etwas unterhalb verzweigt sich der Weg. Wir gehen rechts auf dem Wirtschaftsweg in Richtung Marquartstein weiter und erreichen dann bald wieder den Wanderparkplatz oberhalb des Ortszentrums.

Das ganzjährig bewirtschaftete Hochgernhaus.

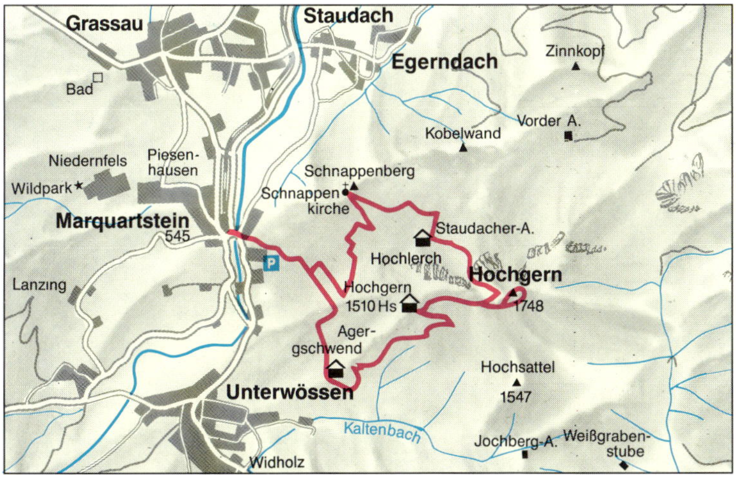

Der Hochgern ist die höchste Erhebung im Zentrum der Chiemgauer Alpen. Den seilbahnfreien Doppelgipfel schmücken ein Gipfelkreuz und ein Mini-Kircherl und eine kleine Wetterstation.

17 KAMPENWAND

Aussichtskanzel über dem Chiemsee

GIPFEL
Kampenwand, 1664 m.

TALORT
Aschau im Chiemgau, 615 m.

AUSGANGSPUNKT
Ortsmitte von Aschau bzw. Hintergschwendt.

ANFAHRT
a) mit dem Auto: Auf der Autobahn München – Salzburg bis Ausfahrt Frasdorf und wenige Kilometer nach Aschau.
b) mit Bahn/Bus: Bahnlinie München – Rosenheim; umsteigen in Prien in die Chiemgaubahn nach Aschau. Um nach Hintergschwendt zu gelangen, fahren wir von Aschau Richtung Bernau und biegen bei Außerkoy rechts ab; von dort sind es noch knapp 3 km bis zum Wanderparkplatz.

GEHZEITEN
Von Aschau bis zur Steinlingalm 2,5 Std.; von Hintergschwendt 1,5 Std. Für den weiteren Aufstieg zum Ostgipfel und den Abstieg zurück zur Hütte 1 Std. Für den Abstieg ins Tal ist mit weiteren 1,5 bis 2 Std. zu rechnen. Gesamtgehzeit: etwa 5 Std.

SCHWIERIGKEIT
Bei Auf- und Abstieg von und zur Steinlingalm handelt es sich um leichte Wanderwege. Etwas schwieriger ist die Gipfelbesteigung. Der Steig führt durch felsiges Gelände; eine ausgesetzte Stelle muß mit Drahtseilhilfe begangen werden. Trittsicherheit und Schwindelfreiheit unbedingt erforderlich.

HÜTTEN/EINKEHR
Steinlingalm, 1550 m (ganzjährig bewirtschaftet – keine Übernachtung mehr); Gasthaus Hintergschwendt; Münchner Haus, 1500 m, bei der Bergstation der Seilbahn (ganzjährig bewirtschaftet – mit Ausnahme einiger Wochen im Spätherbst und Frühjahr).

KARTE
Topographische Karte 1:50 000, Sonderblatt „Chiemsee und Umgebung" (BLVA).

Von jeher ist die Kampenwand einer der beliebtesten Ausflugsberge im Chiemgau. Von allen Seiten her führen Wanderwege auf die Höhe, Hütten und Almen laden zur Einkehr, Felstouren gibt es mehr als genug für die Kletterer und Aussichtspunkte für all jene, denen es genügt, irgendwo im Gras zu sitzen und nur zu schauen. Daß von Hohenaschau aus eine Seilbahn hinauffährt in die Gipfelregion, trägt zusätzlich dazu bei, daß man an der Kampenwand nicht vereinsamen muß.

Vom Bahnhof von Aschau spaziert man erst südwärts, dann westlich haltend nach Aufham. Hier beginnt ein gemütlicher Spazierweg, der an der kleinen Ortschaft Innerkoy vorbeiführt, eine Kapelle, die Abendmahlkapelle, erreicht und sich dort rechts hält. Weiter ansteigend kommen wir nach Vordergschwendt und dann weiter nach Hintergschwendt. (Falls wir mit dem Auto anreisen, können wir unsere Wanderung auch hier oben beginnen.) Bei einem großen Parkplatz setzt der Wanderweg (Markierung AV 202) an. Dieser Wanderweg, der meist durch Wald führt, kreuzt eine Forststraße dreimal, beim vierten Zusammentreffen folgt man der Straße, bis sich der Fahrweg allmählich verliert und zum Bergweg wird. Man hält sich ostwärts, erreicht den Sultensattel, der den Sulten von der Kampenwand trennt, und hat noch eine Viertelstunde bis zur Steinlingalm (1550 m).

Ging man von Aschau nach Hintergschwendt etwa eine Stunde, so waren es von da bis zur Steinlingalm weitere 1½ Stunden Gehzeit.

Will man von hier aus weiter hinauf zum Gipfel, so muß man mit etwas höheren Anforderungen rechnen. Ein kleiner Steig führt in der Nordflanke der Kampenwand hinauf in Richtung Schlechinger Scharte. Kurz vor deren Erreichen wendet sich der Weg zum Äußersten Ostgipfel der langgestreckten Wand nach links. Die Kaisersäle, Geröllschluchten, die von senkrechten Felswänden begrenzt sind, werden durchschritten. Zuletzt geht es über den steilen Gipfelaufschwung zum Teil drahtseilgesichert hinauf zum monumentalen Kreuz.

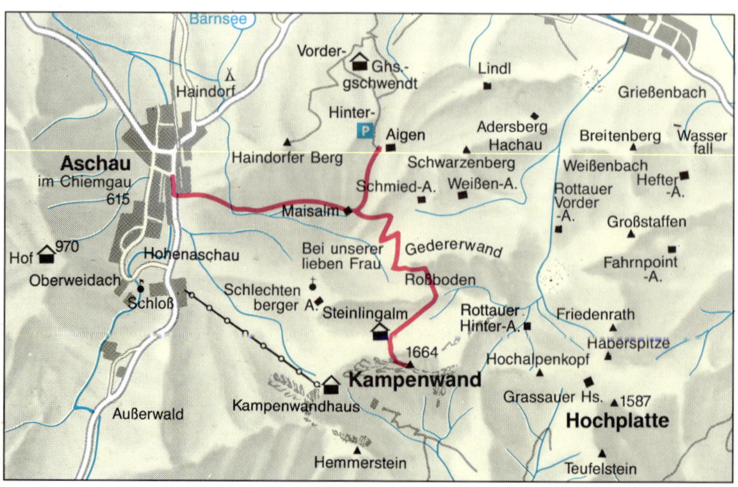

Dieses 12 Meter hohe Monument – den Tausenden im Krieg Gefallenen aus dem Chiemgau gewidmet – dürfte wohl das größte Kreuz auf einem bayerischen Gipfel sein. 54 Zentner ist es schwer, und beim Transport auf den Gipfel wurde ein 24 Zentner schweres Teil als Ganzes transportiert (noch ohne Hubschrauber). Weithin sichtbar leuchtet es nun hinaus in den Chiemgau.
Zur Steinlingalm steigt man auf dem Anstiegsweg zurück. Für den weiteren Abstieg bieten sich zwei Möglichkeiten an: a) auf beschilderten, breiten Wanderwegen hinab nach Hohenaschau oder b) von der Steinlingalm auf dem Panoramaweg zur Bergstation der Kampenwandbahn und gondelnd hinab ins Tal.
Was bleibt, ist ein netter Spaziergang von Hohenaschau zurück zum Ausgangspunkt in Aschau.

Der aus Kalkstein geformte, bizarre Gipfelkamm der Kampenwand von Norden. Man geht sicher nicht fehl, wenn man ihren Namen von der Form ableitet. Die Bergstation der 1957 erbauten Kampenwandbahn befindet sich rechts vom Gipfelaufbau. Alljährlich werden so Hunderttausende bequem auf diese Aussichtskanzel befördert. Auf einem Panoramaweg, der unterhalb des Gipfelkamms entlangführt, lassen sich alle Schönheiten des Chiemgau von oben betrachten. Und natürlich gibt es bewirtschaftete Almen für den redlich verdienten Durst.

18 GEIGELSTEIN UND BREITENSTEIN

Blumenberg und Mauerblümchen

GIPFEL
Geigelstein, 1808 m.
Breitenstein, 1661 m.

TALORT
Schleching, 569 m.

AUSGANGSPUNKT
Ettenhausen, 611 m, bei Schleching, im Tal der Tiroler Achen.

ANFAHRT
a) mit dem Auto: Von der Autobahnausfahrt Bernau der Salzburger Autobahn auf der Landstraße über Grassau, Marquartstein nach Schleching und weiter bis Ettenhausen, wobei wir der Ausschilderung zur Geigelsteinbahn folgen. Parkplatz an der Talstation bzw. Parkplatz am südlichen Ortsende von Ettenhausen.
b) mit Bahn/Bus: Auf der Strecke München – Salzburg bis zum Bahnhof Übersee, von dort mit RVO-Bus nach Schleching bzw. Ettenhausen.

GEHZEITEN
Anstieg von Ettenhausen auf den Geigelstein 3½ Std., Abstieg zur Priener Hütte½ Std., Rückkehr mit Umrundung bzw. Überschreitung des Breitensteins etwa 2½ Std. Gesamtgehzeit: etwa 6½ Std.

SCHWIERIGKEIT
Der Anstieg von Ettenhausen bis zur Wuhrsteinalm erfolgt auf breiter Forst- bzw. Almstraße, die weitere Route gehen wir auf z.T. steilen, aber gut begehbaren Bergsteigen.

HÜTTEN/EINKEHR
Gasthaus an der Talstation der Geigelsteinbahn; Gasthaus Breitenstein, 1000 m. Wuhrsteinalm, 1140 m (ganzjährig bewirtschaftet, keine Übernachtung); Priener Hütte, 1411 m (AV-Hütte, ganzjährig bewirtschaftet, 60 Betten, 60 Lager).

KARTE
Topographische Karte 1:50 000, Sonderblatt „Chiemsee und Umgebung" (BLVA).

Was für Attribute werden ihm zugeschrieben: höchster Gipfel des Chiemgau, prächtige Aussichtswarte, herrlicher Blumenberg, Super-Skiberg. Die Schlacht um seine Erhaltung als Naturreservat ist geschlagen, seine Liebhaber werden weiterhin das Vergnügen haben, die letzten 700 Meter bis zum Gipfel zu Fuß zurücklegen zu dürfen – denn eine Verlängerung der Seilbahn ab Wuhrsteinalm ist nicht mehr im Programm der sogenannten Erschließer. Aber zugegeben, nur wenige der Gipfelaspiranten verachten die kleine Anstiegshilfe bis zur Höhe von 1100 Metern. Denn falls wir im Sommer unterwegs sind und nicht ganz früh aufbrechen, kann die Sonne uns im oberen, exponierten Teil ganz schön einheizen. Da wir jedoch mit der Besteigung des Geigelsteins nicht ganz ausgelastet sind, wollen wir eine Runde über die Priener Hütte drehen und dabei den bescheideneren, südlich des Geigelstein gelegenen Nachbarn, den „nur" 1661 Meter hohen Breitenstein, in unsere Tour mit einbeziehen. Der Breitenstein hat zudem den Vorteil, daß er über eine reichhaltige Flora verfügt und auf seiner Südostseite – im sogenannten Karl (einer Verkleinerungsform von Kar) – ein Naturlehrpfad eingerichtet wurde, der uns über Flora und Fauna im Bereich der oberen Bergwaldzone sowie des Latschengürtels Auskunft gibt.
Von der Talstation der Geigelsteinbahn nun entweder auf dem Wirtschaftsweg durch schattigen Wald zur Wuhrsteinalm bzw. mit Hilfe des Sessellifts frei schaukelnd hinauf zur Bergstation und von dort in 10 Minuten Wanderung zum Berggasthof. Von dort leitet uns ein gut markierter Bergweg durch Almwiesen hinauf zur Wirtsalm oberhalb. Bei der Wegverzweigung halten wir uns rechts und steigen durch die nun steiler werdende Südostflanke des Geigelsteins höher, wo wir bald den Verbindungskamm zwischen Breitenstein und Geigelstein erreichen und sich ein überraschender Tiefblick auf die Priener Hütte bietet. Durch steiles Latschendickicht geht's dann rechts hinauf zum höchsten Punkt, wo uns ein überdimensionales Gipfelkreuz, eine klei-

ne Kapelle und eine prächtige Aussicht erwarten. Da wir bisher alle Einkehrmöglichkeiten verschmäht haben, schnell hinab zur ganzjährig bewirtschafteten Priener Hütte. Wir überschreiten dabei den Gipfel Richtung Norden und gehen durch einen Latschengürtel in den freien Sattel zwischen Geigelstein und Roßalpenkopf (wobei jedoch auch die Möglichkeit besteht, in den Abkürzer am Ende des Latschengürtels, der sich vom Gipfel hinabzieht, rechts einzubiegen). Über freies Almgelände steuern wir dann rasch auf die Hütte zu. Nach einer ausgiebigen Rast auf der gemütlichen Terrasse – großartiger Kaiserblick inklusive – sind wir wieder in der Lage, ein paar Anstiegsmeter zu bewältigen.

Von der Priener Hütte gehen wir auf dem Fahrweg ein kurzes Stück Richtung Süden bis zur Abzweigung an der Niederkaseralm. Dort folgen wir dem Bergweg, der uns durch die bewaldete Westflanke des Breitensteins sanft ansteigend hinaufleitet zum Sattel zwischen Breitenstein und Karkopf (wo wir natürlich einen Abstecher zum bergsteigerisch vernachlässigten Breitenstein-Gipfel einlegen können). Dort steigen wir jenseits, d. h. auf der Schlechinger Seite, hinab ins „Karl“ genannte Kar, vorbei an der verfallenen Karlalm, und nehmen uns etwas Zeit für den bereits angekündigten Alpenlehrpfad, um unser Wissen zu erweitern. Nach Überwindung einer Steilstufe erreichen wir bald wieder die Wuhrsteinalm und schließen damit die Gipfelrunde ab. Für den Abstieg haben wir wieder ein Los frei, um zu unserem Ausgangspunkt zu gelangen: Entweder wir nehmen den bequemen Sessellift oder spazieren die Almstraße hinunter.

***Oben:** Blick vom Breitenstein nach Norden auf den Geigelstein. Der Normalweg führt über seine schrofige Südflanke.*

***Unten:** Kreuz und eine kleine Kapelle schmücken den Gipfel des Geigelsteins. Sein Gipfel ist auch im Winter ein beliebtes Tourenziel.*

19 HOCHRIES UND SPITZSTEIN

Ein Bergkamm mit vielen Möglichkeiten

GIPFEL
Hochries, 1558 m.
Spitzstein, 1597 m.
Klausenberg, 1554 m.

TALORT
Aschau im Chiemgau, 615 m.

AUSGANGSPUNKT
Der kleine Weiler Hammerbach.

ANFAHRT
a) mit dem Auto: Von der Ausfahrt Frasdorf der Salzburger Autobahn über Aschau nach Hohenaschau; vor dem Burgberg rechts in die Schloßbergstraße und 700 Meter auf ihr bis zur Wegverzweigung; nun links in eine Sackstraße und dann nach 300 Meter rechts weg bis zum Straßenende. Dort Parkmöglichkeit.
b) mit Bahn/Bus: Auf der Strecke München – Salzburg bis zum Bahnhof Prien, dann mit der Chiemgaubahn bis Aschau und zu Fuß zum Ausgangspunkt (3/4 Std.). Rückkehr von Sachrang mit RVO-Bus.

GEHZEITEN
Von Hammerbach bis zur Klausen 3½ Std.; Übergang zum Spitzstein über Brandelberg und Spitzsteinhaus 3 Std.; Abstieg nach Sachrang 2 Std. Gesamtgehzeit: 8½ Std.

SCHWIERIGKEIT
Anstieg zur Klausen auf Wanderweg; die Kammüberschreitung zum Spitzstein erfolgt auf Bergsteig, der Trittsicherheit voraussetzt, wobei der Gipfelanstieg vom Spitzsteinhaus steil, aber leicht ist. Der Abstieg nach Sachrang verläuft auf Wanderweg.

HÜTTEN/EINKEHR
Hochrieshaus, 1569 m (ganzjährig bewirtschaftet; Übernachtung); Klausen, 1508 m (ganzjährig bewirtschaftet, im Winter nur an Wochenenden, 8 Betten, 12 Lager, Übernachtung nur am Wochenende); Spitzsteinhaus, 1263 m (bewirtschaftet von Weihnachten bis Ende Februar und von Anfang April bis Anfang November, 20 Betten, 50 Lager)

KARTE
Topographische Karte 1:50 000, Sonderblatt „Chiemsee und Umgebung" (BLVA)

Beide Gipfel, Hochries und Spitzstein, geben für sich jeweils sehr reizvolle Tourenziele ab. Wir können aber diesem Angebot noch die Krone aufsetzen, wenn wir beide Gipfel zu einer Kammwanderung verbinden und uns auf diese Weise zu einer Tour der Extraklasse verhelfen.
Beginnen können wir diese aussichtsreiche Höhenwanderung auf der Hochries, was uns zwar einige Höhenmeter spart, die Rückkehr zum Ausgangspunkt aber problematisch macht. Starten wir unsere Tour in Hammerbach bei Hohenaschau, können wir mit dem Bus oder per Autostopp ohne Probleme dorthin zurückkehren.
Unser Ausgangspunkt weist noch geschichtsträchtige Spuren auf. Bis 1889 stand hier ein Hammerwerk der Eisenhütte derer von Freyberg und Preysing. Unser ausgeschilderter Weg beginnt am oberen Ortsende (falls wir nicht die Variante über die Hofalm bevorzugen, denn dann müssen wir nach der Schloßstraße rechts abzweigen) und führt uns zuerst vorbei am unteren Hammerbach-Wasserfall und weiter durch Wald bergan, bis zu einer Wegverzweigung. Wir halten uns links und steigen mäßig bergan, bis wir auf die weiten Almwiesen der

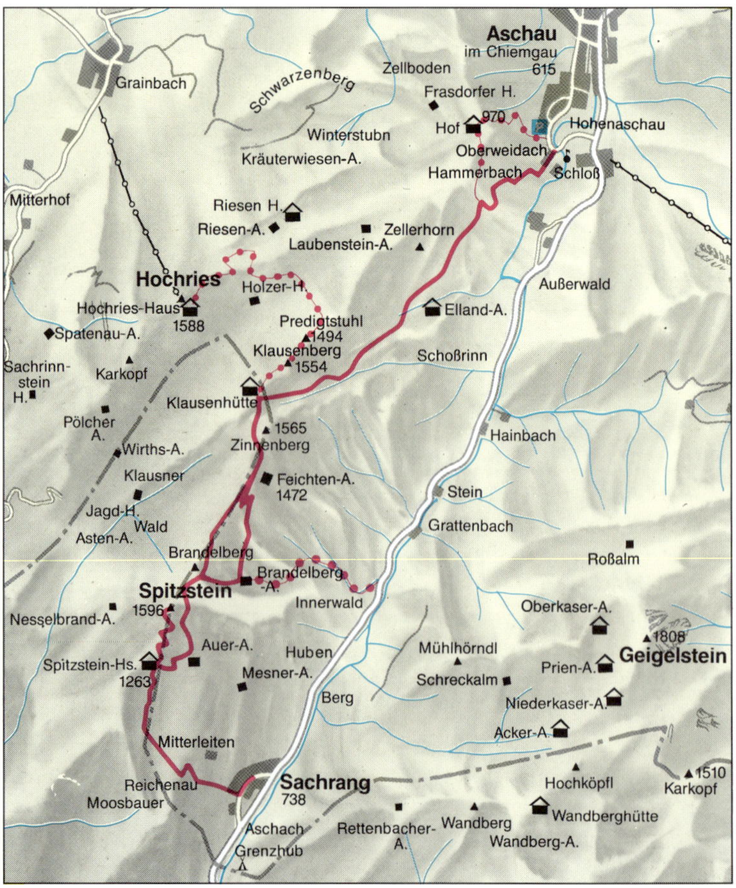

Ellandalm (989 m) treffen. Auf gutem Weg weiter über den sogenannten „Schinder“ und durch Nadelwald hinauf zur Baumgartenalm. Jenseits der Almwiesen führt ein steiler Pfad durch den Klausengraben zum Hochplateau, auf dem die Klausenhütte steht. Der Weiterweg Richtung Süden führt uns dann durch weites, baumloses Gebiet (rote Farbmarkierungen). Vorbei am Zinnenberg, der Feichtenalm und über den Brandelberg (hier wird der Weg allerdings schmal und felsig; evtl. Variante über die Brandelbergalm) gelangen wir so an die steil abfallende Spitzsteinwand, die wir linkseitig umgehen. Über die Aueralm dann weiter zum Spitzsteinhaus. Von hier ist es eine knappe Stunde hinauf zum Spitzstein, wo uns eine kleine Kapelle und ein großes Gipfelkreuz erwarten. Der ausgeschilderte Abstieg über die Goglalm und Mitterleiten bringt uns bequem hinunter nach Sachrang.

Die „Klausen“ gilt als eine Chiemgauer Institution, obwohl sie bereits auf Tiroler Boden liegt. An aussichtsreicher Stelle gelegen, ist sie nicht nur Ziel vieler Wanderungen, sondern auch Station bei der langen Kammüberschreitung zum Spitzstein. Rechts vorgelagert liegt der Klausenberg, 1554 m, der eine großartige Sicht auf das Alpenvorland bietet.

20 HEUBERG UND WASSERWAND

Westlicher Eckpfeiler der Chiemgauer Alpen

GIPFEL
Heuberg, 1338 m.

TALORT
Grainbach, 684 m.

AUSGANGSPUNKT
Waldparkplatz Gammern im Gammernwald.

ANFAHRT
a) mit dem Auto: Auf der Salzburger Autobahn bis zur Ausfahrt Achenmühle, dann auf der Landstraße bis Grainbach. Dort weiter Richtung Nußdorf und links ab zum Gasthaus Duftbräu und zum ausgeschilderten Wanderparkplatz im Gammernwald. Oder: Inntalautobahn bis zur Ausfahrt Brannenburg, dann auf der Landstraße über Nußdorf zum Gasthaus Duftbräu und weiter zum Wanderparkplatz.
b) mit Bahn/Bus: Auf der Strecke München – Salzburg bis zum Bahnhof Rosenheim; von dort mit RVO-Bus nach Grainbach. Dann zu Fuß. Etwas umständlich.

GEHZEITEN
Vom Wanderparkplatz auf den Heuberggipfel 2 Std.; Rückkehr zum Ausgangspunkt 1½ Std. Gesamtgehzeit: 3½ Std.

SCHWIERIGKEIT
Zu Beginn Forstwege, dann leichte Bergwanderwege, zuletzt ausgetretener Steig bis zum grasigen Gipfel. Anstieg zur Wasserwand steil und ausgesetzt.

HÜTTEN/EINKEHR
Gasthaus Duftbräu, 785 m, am Anfahrtsweg; Daffnerwaldalm, 1060 m (von Ende Mai bis Ende September einfach bewirtschaftet).

KARTE
Topographische Karte 1:50 000, Sonderblatt „Chiemsee und Umgebung“ (BLVA).

Von allen Gipfeln der Chiemgauer Alpen weist der vielgipfelige Heuberg eine der interessantesten Formen auf. Gleich einer zinnenbewehrten Burg bildet er deren westlichen Eckpfeiler. Neben dem namengebenden Grasgipfel baut sich nördlich davon die felsige Wasserwand, südlich davon der bewaldete Kitzstein auf, der auf seiner Südseite mit der Höllwand 200 Meter steil abfällt. Darf man den Ortsnamenforschern glauben, hat der Heuberg seinen Namen nicht von seinen grasbewachsenen Flanken und dem Gipfel, sondern leitet ihn von dem Begriff „geheiter Berg“ her, was soviel wie verbotener Berg heißen soll. Offensichtlich war in seinem Bereich einmal ein mythologischer Ort, wofür Form und Lage des Berges durchaus sprechen. Auf seiner Nordseite (vielleicht kein Zufall) findet sich die kleine Wallfahrtskirche St. Mariä Heimsuchung in Kirchwald, ein Barockbau aus dem 18. Jahrhundert. Bemerkenswert dort sind die über 100 Votivtafeln und die reizvollen Prozessionsstangen der Innflößer. Die dem Wallfahrtsort angeschlossene Eremitenklause ist die einzige heutige Einsiedlerklause in ganz Oberbayern.
Lassen wir also das Auto am Waldparkplatz im Gammernwald oder bereits bei der Ausflugsgaststätte Duft an der Nordwestecke des Heubergs stehen. Für den, der öffentlich anreisen will, bietet sich als weitere Alternative die Anfahrt über Nußdorf an. Von dort führt ein sehr

Die letzten Meter beim Aufstieg zur Wasserwand, einem der zahlreichen Gipfel des Heuberg, sind etwas ausgesetzt. Seilsicherungen geben den weniger Geübten etwas Sicherheit.

reizvoller Steig über die Bichleralm hinauf auf den Gipfel. Ganz in der Nähe der Bichleralm, von der wir einen ersten reizvollen Blick aufs Inntal werfen können, ragen die beiden sagenumwobenen Felstürme Backofen und Kundl aus dem Wald auf. Deutlich sind hier am Fels der Kundl die Spuren des eiszeitlichen Inngletschers zu sehen.
Der Wanderweg vom Duftbräu ist zu Beginn mit einer „8" markiert und führt entlang des Fluderbaches hinauf zu den Daffnerwaldalmen, wo sich viele Wege kreuzen. Gehen wir jedoch vom Waldparkplatz los, so halten wir uns zuerst am rechten Verzweiger der Forststraße. Nach einer Viertelstunde teilt sich der Fahrweg erneut. Geradeaus trifft man auf den Wanderweg, der von Buchberg zu den Daffnerwaldalmen heraufführt. Wir gehen jedoch rechts und nach wenigen Minuten wieder rechts und wandern durch schönen Mischwald hinauf zu den weiten Wiesen der Daffnerwaldalmen (1050 m). Blicken wir von dort hinauf Richtung Gipfel, sehen wir rechts die steilen Felsen der Wasserwand. Jenseits der Almen steigen wir dann auf einem schmalen, markierten Wanderweg über Almwiesen steil durch den Osthang hinauf. Weiter oben trennt uns nur ein lichter Baumbestand vom pyramidenförmigen Grasgipfel des Heubergs. Um die Runde komplett zu machen, steigen wir, falls wir keine weiteren Gipfelambitionen haben (Wasserwand und Kitzstein erfordern den trittsicheren Geher), Richtung Westen hinab auf dem Steig, der über die Bichleralm hinab nach Nußdorf führt. Kurz vor der Kindlwand verzweigt sich der Weg, und wir gehen rechts hinab zu den Almhütten von Mailach und kehren auf einem Fahrweg, der von Kirchwald herauffführt, zurück zu den Daffnerwaldalmen. Die Rückkehr erfolgt dann wieder auf dem Anstiegsweg in den Gammernwald.

Der Anstieg von der Daffnerwaldalm auf den Heuberg ist einfach, doch die Bildperspektive täuscht einen flachen Hang vor. Im Gegensatz zur felsigen Wasserwand besteht der Gipfel des Heubergs (nicht im Bild) aus einer grasigen Pyramide.

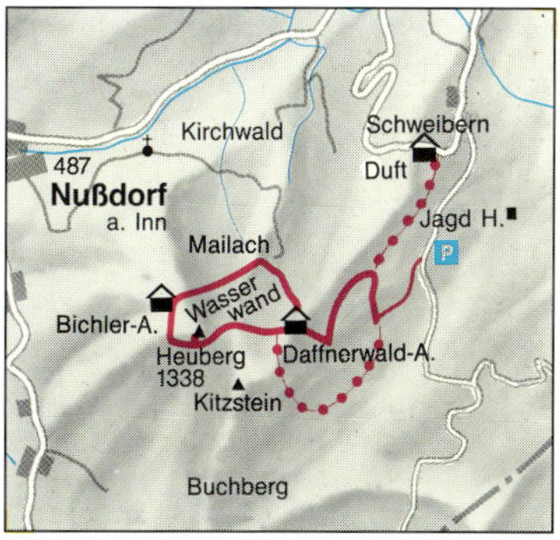

21 PYRAMIDENSPITZE

Blick über das stille Kaisertal

GIPFEL
Pyramidenspitze, 1997 m.

TALORT
Kufstein, 499 m.

AUSGANGSPUNKT
Bahnhof Kufstein bzw. Ortsteil Sparchen, 500 m, am Eingang zum Kaisertal.

ANFAHRT
a) mit dem Auto: Auf der Inntalautobahn bis zur Ausfahrt Kufstein-Nord und zum Ortsteil Sparchen; Parkplatz am Eingang des Kaisertales.
b) mit der Bahn: Auf der Strecke München – Rosenheim – Innsbruck bis zum Bahnhof Kufstein, dann zu Fuß ins Kaiserbachtal.

GEHZEIT
Von Kufstein-Sparchen zur Vorderkaiserfeldenhütte 2½ Std., von der Hütte übers Petersköpfl auf den Gipfel 2½ Std.; Abstieg über Ochsenweidkar und Vorderkaiserfeldenhütte 3 Std., Gesamtgehzeit: 8 Std. Variante über das Anton-Karg-Haus 1 Std. länger.

SCHWIERIGKEIT
Im unteren Teil Forststraßen bzw. Fußwege, im oberen Teil Bergwanderwege.

HÜTTEN/EINKEHR
Vorderkaiserfeldenhütte, 1388 m (AV-Hütte, ganzjährig bewirtschaftet, 33 Betten, 60 Lager); Veitenhof, 670 m; Rietzalm, 1160 m; evtl. Anton-Karg-Haus, 829 m (AV-Hütte, von Anfang Mai bis Ende Oktober bewirtschaftet, 30 Betten, 75 Lager).

KARTE
Alpenvereinskarte 1:25 000 „Kaisergebirge".
Amtliche österreichische Karte 1:50 000 des Bundesamtes für Eich- und Vermessungswesen, Blatt 90 „Kufstein".

Die Pyramidenspitze ist auf allen Anstiegswegen leicht zu erreichen; einzige Ausnahme: der Klettersteig, der durch seine steil abbrechenden Nordabstürze führt. Im Bild: die reizvolle Winkelalm mit dem keck nach Norden spähenden Gipfel des Heuberg, dem nordöstlichen Endpunkt des Zahmen Kaisers.

Ganz knapp verfehlt die Pyramidenspitze, höchster Berg des „Zahmen Kaisers", die Zweitausendmetermarke. Dennoch zählt sie zu den beliebtesten Gipfeln des gesamten Massivs, nicht nur bei den Wanderern, sondern auch bei den Tourenskifahrern der extremeren Richtung. Die Wanderer haben die Qual der Wahl, denn sie können ihr Ziel auf zwei verschiedenen Wegen von der Vorderkaiserfeldenhütte, einem von Norden (von Durchholzen/Walchsee) und auf einem weiteren aus dem inneren Kaisertal erreichen. Doch dürfte zweifelsohne der übers Peterskopfl und über das Plateau des Zahmen Kaisers führende Weg der empfehlenswerteste sein, gewährt er doch eine großartige Aussicht nicht nur auf die Gipfel des Wilden Kaisers, sondern auch nach Norden, auf das Inntal und die Voralpen und nicht zuletzt Tiefblicke in die Nordabstürze. Außerdem bereitet dieser Weg auch noch weniger Mühe als die meisten übrigen.

Zur Vorderkaiserfeldenhütte spazieren wir von Kufstein aus bequem teils über Forststraßen, teils über einen Fußweg. Schon während des Aufstieges machen uns die „Kaiserlichen Majestäten" ihre Aufwartung – das Totenkirchl, die Halten, der ganzen Kamm vom Sonneck bis zum Scheffauer. Von der Hütte aus können wir dann auch noch weit ins Inntal und ins Alpenvorland schauen. Der Weiterweg führt nur anfangs etwas steiler durch Wald auf das Peterskopfl und dann nur noch mit geringer Steigung weiter über die plateauartige Hochfläche mit ihren Karrenfeldern und Dolinen. Zwei wenig ausgeprägte Gipfel (Einser- und Zwölferkogel) werden umgangen, das Eggersgrinn bleibt links und die Wasserstelle des „Vogelbades" hinter uns liegen. Noch ein dritter Vorgipfel wartet auf uns: der Elferkogel. An ihm konnten früher die Walchseer am Stand der Sonne überm Kaiser immer ablesen, wieviel Uhr es gerade war. Allzu spät am Tag wird es jedenfalls nicht sein, wenn wir auf der Pyramidenspitze ankommen.

Für den Rückweg besteht die Alternative, über 1100 ziemlich steile Höhenmeter direkt nach Süden nach Hinterbärenbad abzusteigen und dann das ganze Kaisertal hinauszulatschen.

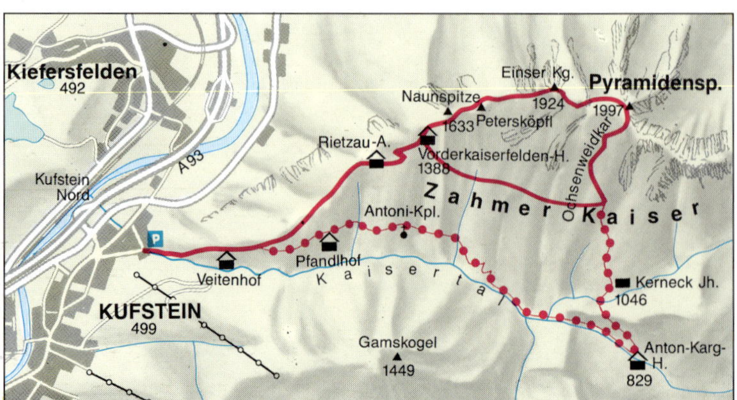

22 ELLMAUER UND GOINGER HALT

Anspruchsvolle Steige im Wilden Kaiser

GIPFEL
Ellmauer Halt, 2344 m.
Hintere Goinger Halt, 2192 m.

TALORT
Ellmau, 804 m.

AUSGANGSPUNKT
Wochenbrunneralm, 1087 m, nördlich von Ellmau.

ANFAHRT
a) mit dem Auto: Von der Autobahnausfahrt Kufstein-Süd der Autobahn München-Rosenheim-Innsbruck auf der Landstraße in Richtung St. Johann/Tirol bis Ellmau; dann etwa 5 km auf asphaltierter Mautstraße nordwärts zur Wochenbrunneralm.
b) mit Bahn/Bus: Auf der Strecke München – Rosenheim – Innsbruck bis Kufstein; ab hier Busverbindung nach Ellmau. Taxidienst von Ellmau zur Wochenbrunner Alm.

GEHZEITEN
Ellmau – Wochenbrunneralm 1¼ Std., Wochenbrunneralm – Gruttenhütte 1¼ Std., Gruttenhütte – Ellmauer Halt 2½ Std., Ellmauer Halt – Gruttenhütte 2 Std. Gesamtgehzeit: etwa 7 Std.
Gruttenhütte – Ellmauer Tor – Goinger Halt 2 Std., Goinger Halt – Ellmauer Tor – Gaudeamushütte – Wochenbrunneralm 2½ Std., Wochenbrunneralm – Ellmau 1 Std. Gesamtgehzeit: etwa 5 bis 6 Std.
Falls man mit dem Pkw zur Wochenbrunneralm gefahren ist, verkürzen sich die Gesamtgehzeiten an beiden Tourentagen um jeweils eine Stunde.

SCHWIERIGKEIT
Der Aufstieg von Ellmau zur Gruttenhütte und weiter bis ins Hochgrubachkar ist unschwierig. Eine Fortsetzung des Anstiegs zur Ellmauer Halt aber ist eine ernste und nicht ungefährliche Bergtour (Ausgesetztheit; Klettersteigcharakter; erhöhte Steinschlaggefahr).
Der Steig von der Gruttenhütte Richtung Ellmauer Tor ist bestens gesichert, als „Jubiläumssteig" bekannt und gerne begangen (bei Regen ist wegen erhöhter Steinschlaggefahr auch hier Vorsicht geboten). Der Aufstieg vom Ende des Jubiläumssteiges

Vielen Bergfreunden ist das Kaisergebirge schon zur Bergheimat geworden. Und viele dürften sich schon die Frage gestellt haben, woher denn der Name dieses so beliebten Kalkgebirges kommt. Der Name Wilder Kaiser findet sich erstmals 1611 auf den Landtafeln Mathias Burgklehners. Doch waren bis ins 19. Jahrhundert die Bezeichnungen Hinterkaiser, Vorderkaiser sowie Hochkaiser gebräuchlich, bis sich die den Bergformen gemäße Unterscheidung in Wilden und Zahmen Kaiser durchsetzte.
Zwei Touren im Herzen des Wilden Kaisers sind hier vorgestellt. Zunächst geht es auf die Ellmauer Halt, den höchsten Kaisergipfel. Dann statten wir der Goinger Halt einen Besuch ab, der sich lohnt. Genießt man doch von diesem Berg wunderbare Einblicke in die berühmten Kletterwände von Christaturm und Fleischbank, die sich jenseits der Steinernen Rinne aufbauen. Die Beschreibung verbindet beide Unternehmungen zu einer abwechslungsreichen Zweitagestour, die tiefe Einblicke in das Herz des Wilden Kaisers gibt, dieser mystischen Felslandschaft aus unzähligen Türmen und Pfeilern, die heute ein Dorado extremer Kletterer ist.

Zur Ellmauer Halt

Ein Mautsträßchen führt von Ellmau nordwärts zur Wochenbrunneralm. Hier schnürt man die Bergschuhe und steigt über einen Almboden, durch Mischwald, zuletzt über latschenbewachsene Hänge hinauf zur Gruttenhütte. Man reserviert sich ein Nachtquartier und setzt dann den Weg zum höchsten Kaisergipfel fort.
War der Weg von der Wochenbrunneralm zur Gruttenhütte noch eine beschauliche Wanderung ohne jeglichen alpinistischen Ernst, so wandeln sich nun die Eindrücke. Rasch wird aus der Wanderung eine Bergtour, die schon bald ordentliche Anforderungen an den Begeher des „Normalweges" zur Ellmauer Halt stellen wird.
Gleich hinterm Haus beginnt der markierte und beschilderte Steig. Er führt zunächst ins Hochgrubachkar, dann steiler hinauf zu den Gamsängern, Gras- und Schrofenbändern, die, langsam ansteigend, den Weiterweg in westlicher Richtung vermitteln. Mit Erreichen der Gamsänger beginnen auch die alpinistischen Schwierigkeiten der Tour. Zwar erleichtern drahtseilgesicherte Passagen das Vorankommen, immer aber ist der Weg ausgesetzt und durch Steinschlag vom Kopftörlgrat bedroht! Bei der gelben „Jägerwand" zieht der Steig unter Führung von Drahtseilen nordwärts empor. Von nun an weisen Stifte, Klammern und Drahtseile den Weg zum Gipfel der Ellmauer Halt (2344 m). Für den Gipfelaufschwung gilt dasselbe wie für die Gamsänger: Steinschlaggefahr, hier durch höher oben befindliche Bergsteiger! Man selbst sollte sorgfältig gehen, das Lostreten von Steinen vermeiden und beim Begehen spätfrühjahrlicher Schneefelder besonders aufmerksam sein!

Auch wer sich nicht dem freien Fall aussetzen will, kommt nicht umhin, den Felsakrobaten Respekt zu erweisen; hier am Nordgrat der Hinteren Goinger Halt.

Am Gipfel der Ellmauer Halt steht das kleine, offene Babenstuberhüttchen, ein Notunterstand, der bei Gewittern allerdings sehr blitzschlaggefährdet ist. Man wird sich, wenn man bei verdienter Gipfelrast in das weite Rund schaut, nicht sattsehen können. Doch für das, was der weite Horizont an Bergen zu bieten hat, wird man wohl kaum Augen haben. Vielmehr faszinieren die schroffen Berge der nächsten Nähe. Senkrechte Wände, schluchtartige Täler, Kletterer in scheinbar haltlosem Fels – dramatische Landschaftsformen, gesehen vom höchsten Punkt dieses wilden Gebirges.
Doch irgendwann befällt einen leichte Unruhe. Man muß ja auch wieder hinunter von der Ellmauer Halt. Und zwar auf demselben heiklen Weg, den man heraufgekommen ist. Und das bedeutet: noch einmal viel Sorgfalt beim Gehen, viel Achtsamkeit auf die Gefahren, die dieser Weg durchaus bereithält.

Auf die Goinger Halt

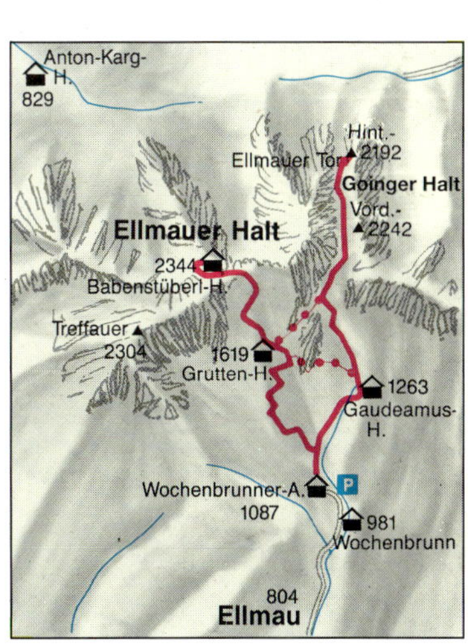

Auch der nächste Tag dieses zweitägigen Kaiser-Abenteuers birgt noch einmal spannende Wegstellen. Doch alles in allem wartet er mit weit weniger Gefahren auf, gibt sich nicht gar so wild und bietet zudem noch einen Gipfel, wo einen keine Unruhe befallen muß.
Von der Gruttenhütte leitet ein drahtseilgesicherter, eindrucksvoller Steig durchs „Wilde Gschloß“ in Richtung Ellmauer Tor. Es ist dieser Steig, der auch als „Jubiläumssteig“ bezeichnet wird, bei etwas Vorsicht ohne besondere Schwierigkeiten zu begehen. Bei der Grutten-

Geschafft: Glückliche Gipfelstürmer am Kreuz der Ellmauer Halt.

Unten: Blick über Gruttenhütte und Kitzbüheler Alpen hinweg auf die schnee- und eisbedeckten Gipfel des Alpenhauptkammes.

Rechte Seite: Vom Gipfel der Ellmauer Halt bietet sich ein freier Blick über das Inntal auf das Karwendelgebirge und die Zentralalpen. Unter uns das kleine Gipfel-Unterstandshüttchen, das man bei Gewitter aber meiden sollte.

hütte folgt man den Beschilderungen, hält sich nordöstlich, quert eine halbe Stunde lang auf dem Jubiläumsweg ins Kübelkar, wo der Weg von der Gaudeamushütte her einmündet. Über harmlose Schrofen und Geröll geht es nun hinauf zum breiten Ellmauer Tor, das Karlspitze und Christaturm von den Goinger Halten trennt. Das Ellmauer Tor ist ein überaus eindrucksvoller Flecken, der in den Ostalpen wohl seinesgleichen sucht. Vom Ellmauer Tor steigt man ein paar Minuten am Anstiegsweg wieder ab, bis links, östlich, der Steig zur Hinteren Goinger Halt abzweigt. In einer halben Stunde gelangt man nun über Geröll und grasdurchsetzte Schrofen, vorbei an einer kurzen, drahtseilgesicherten Stelle zum 2192 Meter hohen Gipfel.

Die Hintere Goinger Halt gehört nicht nur zu den am leichtesten ersteigbaren Kaisergipfeln, sie wartet auch auf mit eindrucksvollen Einblicken in die spektakulären Kletterwände von Karlspitzen, Christaturm und Fleischbank. In diesen der Goinger Halt gegenüberliegenden Wänden wurde Alpingeschichte geschrieben. Und die Routen, die sie durchziehen, sind fast allesamt Klassiker: Dülferführe und Fleischbank-Südost, Christaturmkante und Pumprisse, um nur einige zu nennen. Auf dem Gipfel der Goinger Halt läßt sich gut sitzen und dem Klettertreiben drüben zusehen. Kein Abstieg drängt, keine noch bevorstehenden Schwierigkeiten könnten Sorgen bereiten.

Für den Abstieg nimmt man den Anstiegsweg zurück bis dorthin, wo „Jubiläumsweg“ und der Weg zur Gaudeamushütte zusammentreffen. Der Rest gehört dem Schlendrian. Hinunterbummeln zur „Gaudi“-Hütt'n und hinausspazieren zur Wochenbrunneralm, wo zwei gewiß eindrucksvolle Tage im Wilden Kaiser ausklingen.

zur Hinteren Goinger Halt vollzieht sich auf schmalen, aber unschwierigen Bergsteigen; dasselbe gilt für den Abstieg über die Gaudeamushütte zur Wochenbrunneralm.

HÜTTEN/EINKEHR

Wochenbrunneralm, 1087 m (ganzjährig bewirtschaftet, 30 Lager); Gruttenhütte, 1619 m (AV-Hütte, Anfang Juni bis Mitte Oktober bewirtschaftet, 50 Betten, 100 Lager); Gaudeamushütte, 1267 m, (AV-Hütte, Mitte Mai bis Mitte Oktober bewirtschaftet, 15 Betten, 50 Lager).

KARTE

Alpenvereinskarte 1:25 000 „Kaisergebirge“.

23 SCHEFFAUER
Über den Widauersteig

GIPFEL
Scheffauer, 2111 m.

TALORT
Scheffau, 740 m.

AUSGANGSPUNKT
Hintersteiner See, Parkplatz am Ostufer, 883 m.

ANFAHRT
a) mit dem Auto: Ausfahrt Kufstein-Süd der Inntalautobahn, dann auf der Bundesstraße Richtung St. Johann i.T. Bis zur Abzweigung Scheffau. Durch den Ort und auf steiler, enger Straße zum Hintersteiner See hinauf.
b) mit Bahn/Bus: Sehr gut möglich, doch beginnt und beendet man in diesem Fall die im Text beschriebene Runde nicht am Hintersteiner See, sondern an der Kaindlhütte. An der Wanderroute selbst und an den Zeiten ändert sich nichts. Von Kufstein (Schnellzughaltestelle) entweder mit dem Sessellift zum Brentenjoch, dann zu Fuß zur Kaindlhütte oder auf der Mautstraße hinauf zum Berghaus Aschenbrenner und weiter zu Fuß zur Kaindlhütte. Man kann auch von Kufstein zu Fuß aufsteigen; die Wege beginnen in der Nähe der Seilbahn (Gehzeit Kufstein – Kaindlhütte: 3 Std.).

GEHZEITEN
Vom Hintersteiner See zur Kaindlhütte 2½ bis 3Std., dann über den Widauersteig auf den Scheffauer 3 Std., Abstieg zum Hintersteiner See 3 bis 3½ Std. Gesamtgehzeit 9 bis 9½ Std.

SCHWIERIGKEIT
Widauersteig und Scheffauer-Südabstieg: markierte Steige, teils mit Versicherungen und künstlichen Trittstufen; stellenweise leichte Kletterei (Schwierigkeitsgrad I), meist jedoch Gehgelände. Ansonsten markierte Bergwanderwege ohne besondere Schwierigkeiten oder Forststraßen.

HÜTTEN/EINKEHR
Gaststätten am Hintersteiner See, dort im Sommer auch Badebetrieb; Walleralm, 1171 m (privat, im Sommer bewirtschaftet und Unterkunftmöglichkeit); Kaindlhütte, 1293 m (privat, 85 Plätze, ganzjährig bewirtschaftet).

Der Wilde Kaiser zeichnet sich im allgemeinen durch recht schroffe Formen aus, die dem reinen Wanderer den Zugang zu vielen der hohen Gipfel beträchtlich erschweren. Manche, wie z.B. Predigtstuhl, Fleischbank oder Totenkirchl bleiben überhaupt den Kletterern vorbehalten. Es gibt jedoch eine Reihe von Steigen – keine Wanderwege mehr, aber auch noch keine Klettersteige –, die dem berggewohnten, trittsicheren und beherzten Wanderer den Zugang zu manchem schönen, hohen Kaiserberg eröffnen. Darüber hinaus ist es oft möglich, zwei solcher Steige aneinanderzuhängen und so zu besonders abwechslungsreichen Gipfelüberschreitungen zu kommen; man denke nur an die Ackerlspitze, an die Ellmauer und die Kleine Halt, an den Treffauer oder an den Scheffauer.
Dieser westlichste Zweitausender des Kaisergebirges ist das Ziel unseres Tourenvorschlages. Zwei solcher Steige, beide ungefähr gleich lang und schwer, führen auf den Gipfel, der eine von Norden, der andere von Süden, und sie beide schreien geradezu danach, zu einer Überschreitung verbunden zu werden. Sie tun dies um so mehr, als diese alpine Hälfte der Tour durch eine gemütliche Hälfte ideal abgerundet werden kann: eine beschauliche Wanderung um das Westende des Wilden Kaisers, die mit ihren Aussichtspunkten einen Vorgeschmack auf das bietet, was einen auf dem Scheffauer erwartet.

Vom Hintersteiner See – der Sage nach früher eine Wiese, auf der die Bauern mit Butterkugeln kegelten und zur Strafe dafür bis zum Weltende unterm Scheffauer weiterkegeln müssen – wandern wir durch Wald, leider z. T. auch auf jüngst verbrochenen Forst-Autobahnen, zu den weiten Wiesen der Walleralm. Hier könnten wir schon einkehren, oder aber wir machen einen kurzen Abstecher auf den Kreuzbühel nebenan und schauen auf Kufstein und ins Inntal hinunter. So viele Verlockungen, denen es zu widerstehen gilt! Nun steigen wir wieder durch Wald auf den freien Sattel des Hochecks (Kreuz, Aussichtspunkt) und jenseits über Almwiesen zur Kaindlhütte hinunter. Sie liegt inmitten eines richtigen kleinen Hüttendorfes, der Steinbergalm. – Hier beginnt der Widauersteig, der in den Jahren 1910/1911 angelegt wurde und nach dem Bergführer Thomas Widauer benannt ist. Widauer war nämlich vorher mehrmals über diese Route vom Scheffauer abgestiegen. Der Weg führt zunächst in das landschaftlich prächtige Kar „Großer Friedhof" hinauf; in ca. 1720 m Höhe beginnt der eigentliche Steig. Er führt mit einer langen Rechtstraverse in die Rinne zwischen dem Nördlichen Hackenkopf und dem Scheffauer und durch diese auf den Gipfelgrat. Von hier sind's noch zehn Minuten westwärts bis auf den Gipfel. Im Abstieg geht es zunächst zum Ausstieg des Widauersteiges zurück und dann über den Steig auf der Südseite hinunter. Örtlichkeiten wie die „Kegelstatt" oder der „Hochofen" beweisen, daß dieser Aufstieg schon in frühester Zeit von Einheimischen begangen worden ist. Über Schrofen und ein paar gesicherte Passagen geht es zunächst südöstlich und dann scharf nach Südwesten einschwenkend zum Hintersteiner See hinunter, den wir schon von weitem glitzern sehen.

KARTE
Alpenvereinskarte 1:25 000 „Kaisergebirge".

HINWEISE
Die Runde ist natürlich auch in umgekehrter Richtung möglich, doch verläuft dann der Aufstieg auf der Sonnenseite! Auf dem Widauersteig kann im Frühjahr noch Schnee in den Rinnen liegen; dann können u. U. Grödel und ein Pickel empfehlenswert sein. Im Hochsommer, bei starker Begehung, besteht Steinschlaggefahr durch Voraussteigende. Vorsicht – oder lieber Helm aufsetzen!

***Links:** Der Widauersteig durch die Nordwand des Scheffauers wurde bereits 1911 angelegt und stellt für etwas geübte Berggänger ein abwechslungsreiches Vergnügen dar.*

***Rechts:** Hackenköpfe und Scheffauer von Norden. Im Vordergrund die Böden der Steinbergalm.*

24 BRÜNNSTEIN UND GROSSER TRAITHEN

Eine abwechslungsreiche Rundtour über dem Sudelfeld

GIPFEL
Brünnstein, 1619 m.
Großer Traithen, 1852 m.

TALORT
Bayrischzell, 800 m.

AUSGANGSPUNKT
Berggasthof Rosengasse, 1200 m.

ANFAHRT
a) mit dem Auto: Salzburger Autobahn bis zur Ausfahrt Weyarn, dann auf der Landstraße über Miesbach, Schliersee nach Bayrischzell. Von dort auf der Sudelfeldstraße bis zur Abzweigung zum mittleren Sudelfeld (Grafenherberg) und weiter bis zur Rosengasse, wo die Straße auch endet. Dort Parkplatz.
b) mit Bahn/Bus: Von München direkt mit der Bahn bis Bayrischzell. Von dort bietet sich die Möglichkeit, mit dem Sessellift aufs obere Sudelfeld zu fahren und die Wanderung dort zu beginnen (über den Kleinen Traithen).

GEHZEITEN
Von der Rosengasse zum Brünnsteinhaus 2½ Std., Anstieg zum Brünnstein ¾ Std., Abstieg und Übergang zum Großen Traithen 2¼ Std., Abstieg zur Rosengasse 1½ Std. Gesamtgehzeit: 7 Std.

SCHWIERIGKEIT
Fast ausschließlich Bergsteige, bis auf eine kürzere Strecke beim Brünnsteinhaus. Der Anstieg auf den Brünnstein ist steil und ausgesetzt und erfordert den trittsicheren und schwindelfreien Bergwanderer (einige Seilsicherungen). Der Abstieg vom Großen Traithen kann bei Nässe recht unangenehm sein.

HÜTTEN/EINKEHR
Berggasthof Rosengasse, 1300 m (ganzjährig bewirtschaftet); Brünnsteinhaus, 1342 m (AV-Hütte, ganzjährig bewirtschaftet, von Mitte Januar bis Mitte Februar jedoch geschlossen, 14 Betten, 40 Lager).

KARTE
Topographische Karte 1:50 000, Sonderblatt „Mangfallgebirge“ (BLVA).

Das Brünnsteinhaus am Fuß des Gipfelfelsens wurde bereits 1894 erbaut, doch die Anstiege aus dem Tal waren damals noch relativ weit. Erst der Bau der Sudelfeldstraße, deren erster Streckenabschnitt 1937, das weitere Anschlußstück vom Sudelfeldsattel dann 1953 eröffnet wurde, schaffte die Voraussetzung für einen touristischen Boom. Heute gehört der Brünnstein zu den meistbestiegenen Vorbergen. Sein Nachbargipfel, der Große Traithen, ist von unserem Ausgangspunkt gesehen auch recht nah, doch für den Ausflügler zu steil und ohne Hüttenpause. In einer „kombinierten“ Wandertour bieten diese beiden Gipfel für jeden Anspruch etwas: eine gemütliche Alpenvereinshütte, einen Klettersteig, Latschengewurstel, Almböden und natürlich eine großartige Aussicht, wovon der Kaiserblick besonders hervorzuheben ist.

Wir beginnen unsere Tour beim Berggasthof Rosengasse und steuern zuerst die Rosengassenalm oberhalb an. Dort überqueren wir einen Bach und halten uns dann dort, wo der Bergsteig beginnt (Mark.-Nr. 651), links. Der Weg führt uns über Almwiesen, dann durch Wald hinauf zu einer Schneide. Dort geht's dann nahezu eben weiter, bei der nächsten Verzweigung rechts, bis wir auf einen Almfahrweg treffen. Ihm folgen wir zu den Almwiesen der Himmelmoosalm und weiter bis zum Brünnsteinhaus.

Die Gipfelrunde: Rechts vom Haus sehen wir bereits die Ausschilderung zum Dr.-Julius-Mayr-Weg, der uns nun durch steiles, aber gesichertes Felsgelände zum Gipfel führt, wo uns eine kleine Kapelle und ein rundum freier Blick belohnen. – Beim Abstieg halten wir uns dann in Richtung Traithen und steigen in westlicher Richtung über schrofiges, aber gut begehbares Gelände hinunter zur Himmelmoosalm. Wir folgen noch ein kurzes Stück dem Almfahrweg in gleicher Richtung und steigen dann links, dort wo das Steilner Joch beginnt, auf Pfadspuren links hinauf. Wir folgen dem gesamten Kamm (durch zuge-

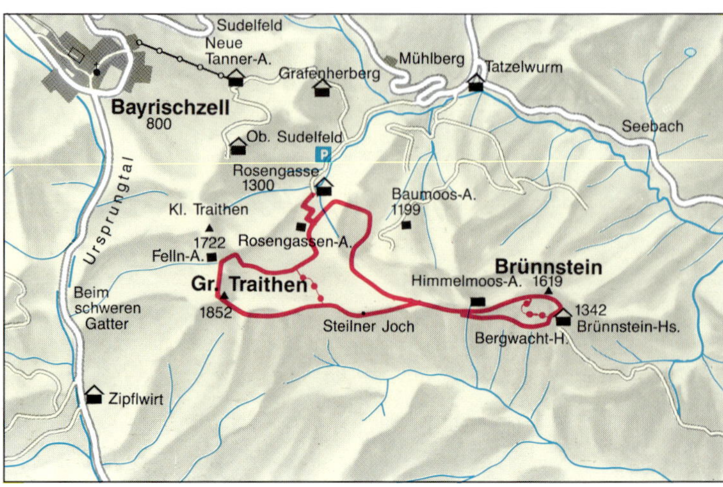

gebenermaßen unzählige Latschen), bis er im Gipfel des Großen Traithens kulminiert. Der Abstieg von dort Richtung Norden zur Fellnalm kann bei vohergegangenem Regen zu einer Rutschpartie werden, da der Steig sehr steil und schmierig ist. Sind wir erst am tiefsten Punkt zwischen Großem und Kleinem Traithen angelangt, gehen wir beim Drehkreuz am Weidezaun rechts hinunter zu den Böden der verfallenen alten Fellnalm. Wir halten uns etwas oberhalb der tiefsten Einsenkung, wo wir bald auf eine Wegverzweigung stoßen. Nun links hinab zur Rosengassenalm und zum Ausgangspunkt.

Oben: Der Brünnstein, Hausberg der Oberauer, ist besonders für seinen Kaiserblick bekannt. Doch die Sicht reicht noch viel weiter: Im Hintergrund erkennen wir den schneebedeckten Alpenhauptkamm. Seinen Publikumsgipfel schmückt eine kleine Kapelle. Das Gipfelkreuz liegt links hinter dem Betrachter und ist nur auf einem schmalen Gratweg zu erreichen.

Unten: Das ganzjährig bewirtschaftete Brünnsteinhaus, am Fuße des gleichnamigen Gipfels, kann als eigenes Ziel gewertet werden, falls Gipfelambitionen fehlen.

25 BREITENSTEIN UND WENDELSTEIN

Von Birkenstein zum „bayerischen“ Berg

GIPFEL
Breitenstein, 1622 m.
Wendelstein, 1838 m.

TALORT
Fischbachau, 722 m.

AUSGANGSPUNKT
Wallfahrtskirche Birkenstein, 853 m.

ANFAHRT
a) mit dem Auto: Salzburger Autobahn bis zur Ausfahrt Weyarn, dann auf der Landstraße nach Fischbachau. Dort in Ortsmitte der Ausschilderung zur Wallfahrtskirche folgen. Parkplatz.
b) mit Bahn/Bus: Auf der Strecke München – Bayrischzell bis zum Haltepunkt Fischbachau und mit RVO-Bus nach Birkenstein, oder zu Fuß am Wolfsee vorbei und durch den Kothgraben direkt nach Birkenstein (¾ Std.).

GEHZEITEN
Von Birkenstein über die Kesselalm und die Hubertushütte auf den Breitenstein 2½ Std. Übergang zur Aiblinger Hütte 1 Std.; Anstieg von dort auf den Wendelstein 2½ Std.; Abstieg nach Osterhofen 2 Std. Gesamtgehzeit: etwa 8 Std.

SCHWIERIGKEIT
Zu Beginn Almfahrweg, der Anstieg auf den Breitenstein erfolgt auf Bergsteig. Übergang zur Aiblinger Hütte auf Almfahrweg, der weitere Anstieg bis zum Wendelsteinhaus ist dann wieder ein Bergsteig. Der Gipfelweg ist befestigt und mit Geländer versehen.
Der Abstieg vom Wendelsteinhaus nach Osterhofen besteht zuerst aus Bergsteig, dann aus Fahrweg.

HÜTTEN/EINKEHR
Kesselalm, 1278 m (im Sommer durchgehend bewirtschaftet, im Winter nur an Wochenenden); Hubertushütte, 1585 m (während der Weidezeit bewirtschaftete Almhütte, einige Lager zur Übernachtung); Aiblinger Hütte, 1311 m (AV-Hütte, von Mitte März bis Ende Dezember Getränke); Wendelsteinhaus, 1725 m (Berghotel mit ganzjähriger Bewirtschaftung).

KARTE
Topographische Karte 1:50 000, Sonderblatt „Mangfallgebirge“ (BLVA).

Zum regen Touristenbetrieb auf dem Wendelstein – Zahnradbahn und Seilbahn bringen die Ausflügler zuhauf herauf – mag man stehen, wie man will. Der Wendelstein ist und bleibt ein Wahrzeichen des bayerischen Gebirges, weithin sichtbar, markant von Gestalt und ein Hinaufwandern immer wieder wert. Wenn man dann gar den Breitenstein miteinplant in die Tour, dann ist das ein richtig schöner Höhenweg, und die Stille, die man auf manchem Wegabschnitt vorfindet, macht den Trubel am Wendelstein allemal wett.

Ausgangsort ist Birkenstein, der kleine Wallfahrtsort unweit Fischbachau. Bevor man sich auf den Weg macht, sollte man der Kapelle Mariä Himmelfahrt einen Besuch abstatten und an den Votivbildern Eindrücke von ehemaliger Volksfrömmigkeit gewinnen.

Sodann mache man sich auf zur anfänglichen Waldwanderung auf bequemem Weg. Wo der Wald sich lichtet, wird das Gelände steiler, und der Weg führt in Serpentinen hinauf zur reizvoll gelegenen Kesselalm (1278 m). Der Weg führt nun flach ostwärts bis in den Sattel zwischen Schweinsberg und Breitenstein. Ein kleiner Steig hält sich nun bezeichnet nach links, führt hinauf zur Hubertushütte (Almhütte), und von da ist in wenigen Minuten der Gipfel des Breitensteins (1622 m) erreicht.

Nach aussichtsreicher Gipfelrast steigt man wieder ab zur Scharte, wo man den großen Weg verließ. Den setzt man nun fort Richtung Aiblinger Hütte und Wendelstein. Nach einer halben Stunde ist die Hütte erreicht; sie liegt mit einigen sie umgebenden Almen direkt in der tiefen Einsattelung zwischen Breitenstein und Wendelstein.

Aus dem Almboden steigt man nun auf kleineren Wegen rechts haltend hinaus und steil hinauf zur Elbachalm. Der Weg wird nun flacher, vereinigt sich mit dem von Brannenburg heraufziehenden Anstieg und führt hinauf zum 1838 Meter hohen Gipfel.

Abgesehen von der Verschandelung des Gipfels – ein Schicksal, das der Wendelstein mit der Zugspitze teilen muß – durch ein Sonnenob-

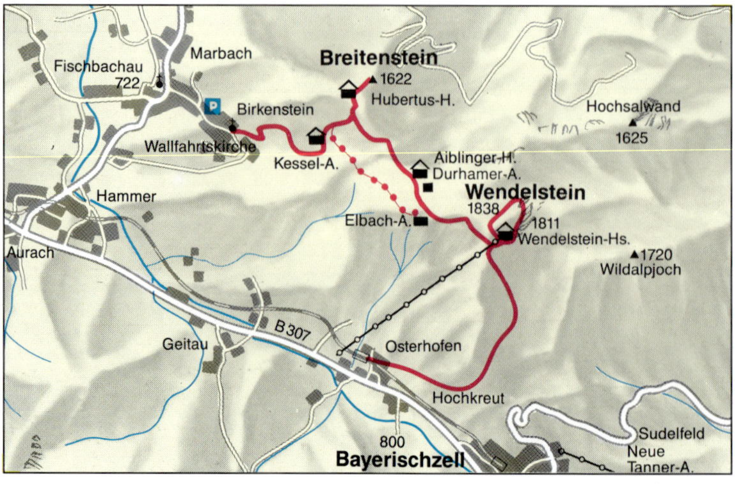

servatorium, eine Wetterwarte und eine Fernseh-Sendeantenne, hat der wohl meistbestiegene Berg in den Bayerischen Alpen einige touristische Sehenswürdigkeiten zu bieten: Auf dem Hauptgipfel befindet sich die mehrfach umgebaute Kapelle aus dem Jahre 1718, die vom Sixtnbauer aus Bayrischzell als Dank für die Errettung von Rindern und Pferden, die sich im weiten Almgelände verstiegen hatten, errichtet wurde. Südlich unterhalb des Hauptgipfels, neben der Berggaststätte, befindet sich das 1890 erbaute Wendelstein-Kirchlein, das höchstgelegene Gotteshaus Deutschlands, das schon Hunderten von Brautpaaren als Ort der feierlichen Eheschließung gedient hat. Etwas unterhalb der Kapelle liegt der Eingang zur Wendelsteinhöhle, einer geologischen Sehenswürdigkeit ersten Ranges. Die erst 1864 entdeckte Höhle wurde nach ihrer wissenschaftlichen Erforschung 1921 der Öffentlichkeit zugänglich gemacht. In einem 200 Meter langen Stollen bis zum sogenannten „Dom" erhalten wir mittels Schautafeln Einblick in die Entstehungsgeschichte des Berges und seine geologische Beschaffenheit. Besonders zu bewundern sind dabei Rieseneiszapfen. Um unsere Augen wieder ans Licht zu gewöhnen, begeben wir uns zum Abschluß noch auf den bequem ausgebauten Panorama-Gipfelrundweg, auf dem wir uns nicht nur wieder in der Fernsicht üben, sondern auch in der Alpenflora unterrichten lassen.
Die Seilbahn bietet sich für die rasche Talfahrt an – aber wäre das nicht allzu unehrenhaft? Ein gut ausgebauter, immer aussichtsreicher Weg führt tausend Höhenmeter hinab nach Osterhofen. Ein würdiger Abschluß dieses Wandertages in den bayerischen Bergen.

***Oben:** Der Gipfelaufbau des Wendelstein von Osten mit dem nicht zu übersehenden Observatorium auf seinem Gipfel. In Fallinie erkennen wir die Trasse der Zahnradbahn, die von Brannenburg aus verkehrt und bereits seit über hundert Jahren in Betrieb ist. Gut zu erkennen auch der Gipfel-Rundweg, der sich auf einer Länge von 2 Kilometern um den Gipfelaubau windet.*

***Unten:** Das berühmte Wendelsteinkircherl nahe der Bergstation.*

26 ROTWAND

Ein Berg für alle Jahreszeiten

GIPFEL
Rotwand, 1884 m.

TALORT
Bayrischzell, 800 m.

AUSGANGSPUNKT
Wanderparkplatz „Beim schweren Gatter“ im Ursprungtal.

ANFAHRT
a) mit dem Auto: Von der Ausfahrt Weyarn der Salzburger Autobahn auf Landstraße über Miesbach und Schliersee nach Bayrischzell; von dort noch 3½ km weiter Richtung Grenzübergang Ursprungpaß zum Wanderparkplatz.
b) mit Bahn/Bus: Von München mit der Bahn bis zum Endpunkt der Strecke in Bayrischzell. Dann noch ein kurzes Stück mit dem RVO-Bus bis zur Haltestelle „Sillberghaus“.

GEHZEITEN
Anstieg vom „Schweren Gatter“ über das Sillberghaus und die Wirthsalm zum Rotwandhaus 4 Std., Gipfelanstieg ½ Std., Rückkehr über den Soinsee zum Parkplatz 3¼ Std. Gesamtgehzeit: knappe 8 Std.

SCHWIERIGKEIT
Bis zur Wirthsalm Almstraße bzw. breiter Almweg, der weitere Anstieg bis zum Gipfel erfolgt auf z. T. schmalem Bergsteig. Abstieg zur Großtiefenthalalm auf Steig. Bis auf ein kurzes Stück hinter dem Soinsee bewegen wir uns dann wieder auf Almfahrweg.

HÜTTEN/EINKEHR
Sillberghaus, 1060 m (ganzjährig bewirtschaftet, bei Voranmeldung auch Übernachtung möglich); Rotwandhaus, 1765 m (bis auf den Zeitraum Anfang November bis Mitte Dezember ganzjährig bewirtschaftet, 34 Betten, 80 Lager).

KARTE
Topographische Karte 1:50 000, Sonderblatt „Mangfallgebirge“ (BLVA).

Die Großtiefenthalalm mit Nebelwand, Rotwand und Miesingsattel (rechts).

Kein anderer Voralpenberg ist so sehr der Inbegriff eines Münchner Hausbergs wie die Rotwand oberhalb des Spitzingsees. Nicht so sehr seine Form ist es, die die Bergwanderer im Sommer und die Skitourengeher im Winter dort auf die Höhe treibt, sondern vielmehr die Aussicht von seinem Gipfel: Die ganze Palette der Vorgebirgsgipfel läßt sich mit einer Absatzdrehung genießen: im Nordosten Wendelstein und Breitenstein, im Osten Großer Traithen und Brünnstein, im Süden Schinder und Hinteres Sonnwendjoch, im Westen Halserspitz, Risserkogel, Wallberg und Brecherspitz und direkt vor der Nase die Aiplspitz. Im Süden weitet sich der Blick bis in die gletscherübergossenen Zentralalpen. Und nicht zu vergessen, das ganzjährig bewirtschaftete Rotwandhaus.

Der einfachste und schnellste Anstieg oder besser Übergang ist der von der Bergstation der Taubensteinbahn, der uns die Gipfelfreuden bereits innerhalb von knapp zwei Stunden offeriert. Wesentlich länger, aber auch befriedigender, ist der Anstieg aus dem Ursprungtal bei Bayrischzell.

Vom Parkplatz am Schweren Gatter gehen wir zuerst auf breitem, aber steilem Weg hinauf zum Sillberghaus und weiter auf gutem Almweg bis zur Wirthsalm auf der Südseite der Maroldschneid. Auf einsamem Pfad queren wir nun die freie Südhänge und gelangen seitlich an der Auerspitz vorbei in die Kümpfelscharte. Schon lange vorher sehen wir das Rotwandhaus auf einem Bergvorsprung thronen. Nur noch ein kurzer Anstieg trennt uns vom Bergwirtshaus. Und falls wir die verdiente Pause erst nach vollendeter Tat einlegen, bietet sich noch der kurze Abstecher zum Gipfel an, der auf leichtem Wanderweg erreicht werden kann.

Die Rückkehr treten wir über die Großtiefenthalalm und den Soinsee an, wobei wir zuerst wieder zur Kümpfelscharte absteigen, dann den Steig links hinab nehmen. Am Ende des Soinsees verlassen wir dann den Almfahrweg und steigen kurz an zur Ruchenkopfhütte und dann hinab zur Soinalm, wo wir wieder auf einen breiten Almweg stoßen, der uns im Rechtsbogen um den Sillberg herumführt und dann links zum Sillberghaus und zum Ausgangspunkt hinableitet.

27 BRECHERSPITZ

Ein langer und ein kurzer Weg

GIPFEL
Brecherspitz, 1683 m.

TALORT
Neuhaus, 801 m.

AUSGANGSPUNKT
Spitzingsattel, 1127 m, oder Bahnhof Fischhausen-Neuhaus.

ANFAHRT
a) mit dem Auto: Von der Ausfahrt Weyarn der Salzburger Autobahn, auf Landstraße über Miesbach und Schliersee nach Neuhaus am Südende des Schliersees. Parkmöglichkeit am Bahnhof in Fischhausen-Neuhaus. Oder weiter Richtung Bayrischzell und dann rechts hinauf zum Spitzingsattel. Dort Parkplatz.
b) mit Bahn/Bus: Auf der Strecke München – Bayrischzell bis zum Bahnhof Fischhausen-Neuhaus. Dort Beginn der Wanderung; oder weiter mit RVO-Bus bis zum Spitzingsattel, womit wir uns einige Höhenmeter ersparen.

GEHZEITEN
Vom Spitzingsattel: Anstieg über die Obere Firstalm und den Freudenreichsattel 2 Std., Abstieg 1½ Std. Gesamtgehzeit: 3½ Std.
Von Neuhaus: Anstieg über die Ankelalm 3 Std., Abstieg 2 Std. Gesamtgehzeit: 5 Std.

SCHWIERIGKEIT
Vom Spitzingsattel: Bis zur Oberen Firstalm gesperrter Fahrweg, dann Bergsteig. Im Gipfelbereich Trittsicherheit erforderlich (einige Seilsicherungen).
Von Neuhaus: Almfahrweg und Bergsteig, im oberen Bereich Trittsicherheit erforderlich; beim Abstieg über den Westgrat einige Seilsicherungen.

HÜTTEN/EINKEHR
Obere Firstalm, 1375 m (ganzjährig bewirtschaftet, 30 Betten, 30 Lager); Jausenstation am Spitzingsattel; Ankelalm, 1300 m (während der Weidezeit einfach bewirtschaftet).

KARTE
Topographische Karte 1:50 000, Sonderblatt „Mangfallgebirge" (BLVA).

Die Bergumrahmung des kleinen Schliersees reizt auf den ersten Blick nicht mit spektakulären alpinen Akzenten. Es ist ein Revier für den beschaulichen Wanderer. Im Norden macht sich bereits das flache Voralpenland bemerkbar, im Osten und Westen rahmen bewaldete Bergkuppen den See ein. Nur am Südende erheben sich ein paar Bergspitzen, die nicht nur Bergabenteuer, sondern auch einen weiten Blick versprechen. Die keck das Bild dominierende Gestalt ist die pyramidenähnliche Form der Brecherspitz. Wenngleich er als das Wahrzeichen von Schliersee gilt, so gehört er doch nicht zu den überlaufenen Bergen; andere, leichter erreichbare Gipfel wie Rotwand oder Bodenschneid laufen ihm dabei den Rang ab. Der früher klassische Anstieg durch das Dürnbachtal wurde nahezu verdrängt durch den kurzen Anstieg vom Spitzingsattel, der uns nicht nur 330 Höhenmeter erspart, sondern auch eine bedeutend kürzere Wegstrecke darstellt. Beide Anstiege lassen sich jedoch zu einer äußerst reizvollen Rundtour verbinden, wenn man den Bus vom oder zum Spitzingsattel nimmt.
Der kurze Weg: Obgleich dieser Anstieg einige Höhenmeter erspart, ist er bergsteigerisch anspruchsvoller, denn am Gipfelgrat gibt es einige recht ausgesetzte Passagen. Vom Spitzingsattel folgen wir zuerst rechts dem asphaltierten Fahrweg (für den allgemeinen Verkehr jedoch gesperrt) Richtung Obere Firstalm, der nach dem Bergsteiger

und Führerautor Theodor Trautwein benannt wurde (Gedenktafel am Wegbeginn). Nach einer Wanderstunde durch dichten Nadelwald haben wir dann die schön gelegene Alm erreicht. Direkt beim Haus beginnt rechts der Steig hinauf zum knapp oberhalb gelegenen Freudenreichsattel, der Bodenschneid und Brecherspitz trennt. Ein markierter Pfad leitet uns dort rechts über freie Almwiesen hinauf auf den schmalen Gipfelgrat. Nun rechts weiter auf dem latschenbewachsenen, im oberen Bereich schrofigen Grat (einige Seilsicherungen) auf den Gipfel. Tief unter uns sehen wir den blinkenden Schliersee auf der einen und den viel kleineren Spitzingsee auf der anderen Seite.

Der lange Weg: Vom Bahnhof in Fischhausen-Neuhaus gehen wir zuerst links in die Dürnbachstraße und zweigen dann links in die Waldschmidtstraße ein, dann folgen wir der Grünseestraße einige hundert Meter und zweigen dann rechts ab, um an den Bergfuß zu gelangen. Dort beginnt die Forststraße, der wir durch den dichten Dürnbachwald bis hinauf in das weite und freie Hochtal am Ende des Ankelgrabens folgen. Bei der im Sommer bewirtschafteten Ankelalm (1311 m) weist uns ein Schild links hinauf auf die sogenannte Brecherschneid. Auf dem bald steiler werdenden Steig eröffnen sich reizvolle Ausblicke und motivieren uns zusätzlich, den eigentlichen Gipfel zu erreichen. Durch Latschengestrüpp steigen wir dann über den Brecherspitz-Nordgrat – zuletzt über ein paar Felsabsätze – hinauf zum Gipfelkreuz.

Für den Rückweg haben wir mehrere Optionen offen: Entweder wir steigen nach Norden zum Spitzingsattel ab, oder wir machen eine Gipfelrunde über die Freudenreichkapelle und wandern von dort zur Ankelalm hinab bzw. benutzen den Anstiegsweg über den Nordgrat.

Blick vom felsigen Westgrat der Brecherspitz auf den Schliersee mit dem dicht bewaldeten Schliersberg. Links unten erkennen wir die Böden der Ankelalm.

Links: Brecherspitz (rechts) und Jägerkamp (links) dominieren die südliche Talumrahmung des Schliersees.

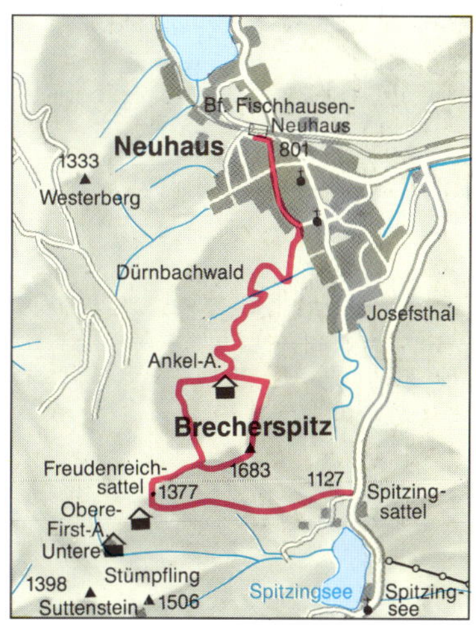

28 BODENSCHNEID

Klassischer Anstieg von Fischhausen

GIPFEL
Bodenschneid, 1669 m.

TALORT
Neuhaus, 801 m.

AUSGANGSPUNKT
Bahnhof Fischhausen-Neuhaus bzw. Ortsmitte von Neuhaus.

ANFAHRT
a) mit dem Auto: Salzburger Autobahn bis zur Ausfahrt Weyarn, dann auf der Landstraße über Miesbach, Schliersee nach Neuhaus am Südende des Schliersees. Kurz nach dem Bahnübergang rechts in die Bodenschneidstraße einbiegen und dieser bis zum Ortsende folgen. Dort bzw. am Bahnhof Parkmöglichkeiten. Im Ort selbst nur sehr beschränkte Stellplätze.
b) mit der Bahn: Auf der Strecke München – Bayrischzell bis zum Bahnhof Fischhausen-Neuhaus.

GEHZEITEN
Wanderung von Neuhaus durch das Dürnbachtal zum Bodenschneidhaus 1½ Std., Anstieg zum Bodenschneid-Gipfel 1 Std., Rückkehr nach Neuhaus 1¾ Std., Gesamtgehzeit 4¼ Std.

SCHWIERIGKEIT
Bis zum Bodenschneidhaus Alm- bzw. Forststraße, ab Bodenschneidhaus zu Beginn steiler, nur schwach markierter Bergsteig, aber ohne Orientierungsprobleme. Die Rückkehr zum Bodenschneidhaus erfolgt ebenfalls wieder auf einem schmalen Steig.

HÜTTEN/EINKEHR
Bodenschneidhaus, 1365 m (AV-Hütte, ganzjährig bewirtschaftet, 18 Betten, 34 Lager); Untere Firstalm, 1318 m (ganzjährig bewirtschaftet, Montag Ruhetag, Frühjahr und Herbst jeweils zwei Wochen geschlossen); Obere Firstalm, 1369 m (ganzjährig bewirtschaftet, 30 Betten, 30 Lager).

KARTE
Topographische Karte 1:50 000, Sonderblatt „Mangfallgebirge“ (BLVA)

Im Gegensatz zur formschöneren Brecherspitz kann die äußerlich wenig attraktive Bodenschneid über Besuchermangel nicht klagen. Dazu tragen nicht wenig die beiden Seilbahnen/Sessellifte auf den Stümpfling bei, die den Anstieg auf die Bodenschneid nahezu zu einem Nachmittagsspaziergang machen. Für den Bergwanderer, der sich nicht scheut, diesen Gipfel aus dem Tal anzugehen, hat sie ein ehrwürdiges Alpenvereinshaus an ihrem Anstiegsweg anzubieten.

Eine gewisse Berühmtheit hat die Bodenschneid durch die Moritat vom Tod des Wildschützen Jennerwein erhalten. Am weglosen Kamm, der sich vom Bodenschneid-Gipfel über Rinnerspitz, Wasserspitz und Rainerkopf nach Norden zieht, wurde am 6. November 1877 der Wilderer Jennerwein vom Jäger Pföderl von hinten erschossen. Nicht aus Rache für die verbotene Tat, sondern aus persönlichen Motiven. Der heimtückische „Mord von hinten“ hat im Laufe der Jahre einen richtigen Jennerweinkult entstehen lassen, der am deutlichsten im „Jennerwein-Lied“ zum Ausdruck kommt. Am Rinnerspitz, dem Tatort, wurde eine Gedenktafel angebracht.

Für den klassischen Anstieg auf die Bodenschneid von Fischhausen-Neuhaus beginnen wir unsere Tour am besten am Bahnhof. Wir gehen also rechts in die parallel zu den Gleisen verlaufende Wendelsteinstraße, dann links in die Bodenschneidstraße, die wir dann wieder

Das mächtige Gipfelkreuz der Bodenschneid.

nach rechts verlassen und so auf einem Abkürzer die Dürnbachstraße erreichen (die von der Ortsmitte heraufführt). Wir bewegen uns nun bereits im Wald und folgen dem ausgeschilderten Weg, wobei wir uns immer rechts des Dürnbachgrabens halten. Der Wirtschaftsweg leitet uns in angenehmer Steigung durch dichten Wald. Wir queren dabei ein paar von Tegernsee heraufführende Forststraßen und gelangen so auf die freien Almwiesen der Raineralm. Nun weiterhin auf Fahrweg hinauf zum Bodenschneidhaus. Nach einer Rast in der gemütlichen Alpenvereinshütte machen wir uns an den Gipfelanstieg: Wir folgen dem zuerst noch breiten Weg, der rechts an der Hütte vorbeiführt, fünf Minuten, bis rechts ein schmaler Steig abzweigt, der uns in steilen Serpentinen über freies Gelände rasch höher bringt. Beim überdimensionalen Gipfelkreuz genießen wir dann die beachtliche Rundsicht. – Wir überschreiten auf schmalem Pfad die freie Gipfelschneide in Richtung Südosten und gelangen durch Wald und über den Suttenstein zum tiefsten Punkt zwischen Bodenschneid und Stümpfling. Um zu den Firstalmen zu gelangen, gehen wir links auf Pfadspuren den freien Hang zur Unteren Firstalm hinab. Ein breiter, zum Teil gepflasterter Weg bringt uns zur ein Stück oberhalb gelegenen Oberen Firstalm. Auf der Nordseite der Alm steigen wir die wenigen Meter hinauf zum Sattel zwischen Krettenburg und Brecherspitz, dann jenseits hinab Richtung Untere Freudenreichalm, wo wir wieder auf eine Forststraße treffen. Bei der Wegverzweigung, die wir bereits vom Anstieg kennen, halten wir uns rechts und steigen so den Fischhauser Weg hinab durch das Dürnbachtal nach Neuhaus.

Das 1916 errichtete und zweimal erweiterte Bodenschneidhaus auf der Nordostseite der Bodenschneid. War der Anstieg bis hierher eine leichte Wanderung auf breiten Wegen, so fordert uns der anschließende steile Gipfelaufstieg noch ein paar Schweißtropfen ab.

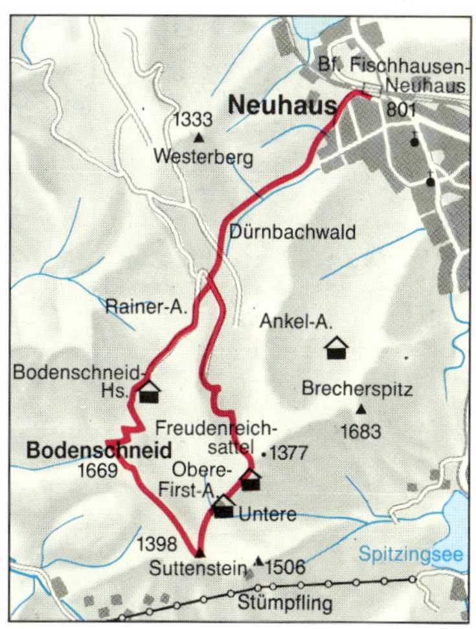

29 BAUMGARTENSCHNEID

Von Tegernsee über die Neureut

GIPFEL
Baumgartenschneid, 1448 m.

TALORT
Tegernsee, 747 m.

AUSGANGSPUNKT
Bahnhof Tegernsee.

ANFAHRT
a) mit dem Auto: Auf der Salzburger Autobahn bis zur Ausfahrt Holzkirchen, dann weiter über Gmund nach Tegernsee.
b) mit der Bahn: Von München über Holzkirchen zum Endbahnhof in Tegernsee.

GEHZEITEN
Von Tegernsee auf die Neureut 1½ Std., von der Neureut zur Gindelalmschneid ½ Std. Die Überschreitung von der Gindelalmschneid zur Baumgartenschneid dauert 1½ Std., der Abstieg nach Tegernsee 1½ Std. Gesamtgehzeit: etwa 5 Std.

SCHWIERIGKEIT
Die gesamte Wanderung hält sich auf unschwierigen Bergwegen, gutes Schuhwerk aber Voraussetzung.

HÜTTEN/EINKEHR
Gasthaus Neureut, 1263 m (ganzjährig bewirtschaftet, Montag Ruhetag); Kreuzbergalm, 1223 m (im Sommer einfach bewirtschaftet, Montag Ruhetag); Gasthaus Riederstein (Galaun), 1100 m (voraussichtlich ab Sommer 1999 wieder bewirtschaftet, keine Übernachtung). Evtl. Abstecher zur Gindelalm, 1340 m (im Sommer bewirtschaftet).

KARTE
Topographische Karte 1:50 000, Sonderblatt „Mangfallgebirge" (BLVA).

Von allen Wanderungen in den bayerischen Bergen ist diese eine der bayerischsten. Traditionsreich der Vorbergspaziergang hinauf zur Neureut. Heraufgestiegen aus dem üppigen Ausflugsverkehr, wird der Tegernsee wieder zur Idylle. Die Baumgartenschneid schließlich war Ludwig Thomas Lieblingsberg; eine halbe Wegstunde unter dem Riedersteinkircherl steht Thomas Haus, die „Tuften".
Gleich beim Bahnhof von Tegernsee beginnt der Wanderweg hinauf zur Ausflugsgaststätte Neureut. Auf dem „Bayernweg" gelangt man gemächlich ansteigend hinauf zur langgestreckten Weidefläche, an derem östlichen Ende das Gasthaus, ein kleiner Alpenpflanzengarten und eine prächtige Aussicht den Besucher erwarten. Knappe eineinhalb Stunden sind es bis hierher, und nach einer Brotzeit, die man sich an diesem außergewöhnlich schönen Flecken angedeihen lassen sollte, geht man in einer guten halben Stunde weiter zur Gindelalmschneid. Der Weg führt breit Richtung Schliersee; bei einem Abzweig folgt man rechts einem Wiesensteig hinauf zum Gipfel, 1334 m.
Von hier geht es etwas mehr als hundert Höhenmeter hinunter zur Kreuzbergalm, um am jenseitigen Hang gleich wieder aufzusteigen. Man verläßt den Forstweg, der im Alpbachtal nach Tegernsee hinausführt, linker Hand (beschildert), wandert unter dem Kreuzbergköpfl hindurch zum Saglfleck, erreicht die Baumgartenalm und auf schmalem Wiesensteig die 1448 Meter hohe Baumgartenschneid.
Beim Abstieg hält man sich westlich Richtung Riederstein und Rottach-Egern. Das Riedersteinkircherl auf seiner ausgesetzten Warte ist einen kleinen Abstecher unbedingt wert. Weiter hinuntersteigend folgt man den 14 naiv gehaltenen Kreuzwegstationen bis zum Berggasthaus Riederstein (Galaun). Mehrere Wege führen nun in nordwestlicher Richtung ohne besondere Beschwer zurück nach Tegernsee.

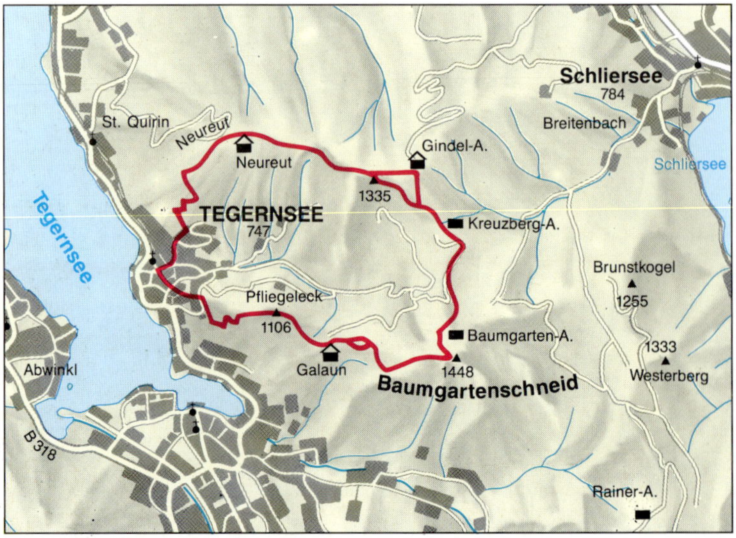

Blick von der Baumgartenalm über den Riederstein und das Pfliegeleck hinweg auf den Tegernsee. Während die Berge auf der Ostseite des Tegernsees, auf denen wir uns hier befinden, regen Zuspruch erfahren, sind die bewaldeten Kuppen der Westseite nur wenig besucht.

30 WALLBERG UND RISSERKOGEL

Zwei ungleiche Brüder

GIPFEL
Wallberg, 1722 m.
Risserkogel, 1826 m.

TALORT
Rottach-Egern, 731 m.

AUSGANGSPUNKT
Parkplatz (Hufnagelstube) vor der Suttenbahn im Rottachtal auf 1000 Meter Höhe.

ANFAHRT
a) mit dem Auto: Salzburger Autobahn bis zur Ausfahrt Holzkirchen, dann auf der Landstraße über Gmund und Tegernsee nach Rottach-Egern; von dort auf asphaltierter Mautstraße 7 Kilometer bis zum Parkplatz.
b) mit Bahn/Bus: Mit der Bahn von München bis zum Endpunkt der Linie in Tegernsee; von dort mit RVO-Bus bis zur Talstation der Suttenbahn.

GEHZEITEN
Anstieg vom Parkplatz zum Wallberghaus 1½ Std.; Gipfelweg zum Wallberg 1 Std.; Übergang vom Wallberghaus zum Risserkogel über das Grubereck 2 Std.; Abstieg über die Sieblialm 1½ Std. Gesamtgehzeit: 6½ Std. bei Einbeziehung des Wallberggipfels.

SCHWIERIGKEIT
Vom Parkplatz bis zum Wallberghaus Wirtschaftswege, der Übergang zum Grubereck bzw. der Anstieg auf den Risserkogel erfolgt auf Bergsteig. Der Gipfelbereich erfordert etwas Trittsicherheit (einige Drahtseilsicherungen). Bis zur Sieblialm steigen wir auf Bergsteig ab, dann auf Almfahrweg.

HÜTTEN/EINKEHR
Wallberghaus, 1500 m (ganzjährig bewirtschaftet, jedoch von Mitte November bis Weihnachten geschlossen, 50 Lager).

KARTE
Topographische Karte 1:50 000, Sonderblatt „Mangfallgebirge“ (BLVA).

Die beiden Gipfel Wallberg und Risserkogel geben ein ungleiches Brüderpaar ab: Das gesamte Wallberggebiet gehört zu den „bestens“ erschlossenen Ecken des Tegernseer Tals mit einer Seilbahn, die die Ausflügler bis knapp unterhalb des Gipfels bringt, einer Mautstraße bis hinauf zum Scharlinger Moos und einem dichten und leicht zu begehenden Wanderwegenetz. Der Risserkogel hingegen träumt vor sich hin und wird nur von einem Bruchteil der Wanderer besucht, die das Wallberggebiet heimsuchen. Besonders im Herbst jedoch, wenn die Sicht klar ist, kann es eine ganz beachtliche Zahl von ihnen zu seinem etwas schroffen Gipfel hinaufziehen. Durchaus reges Leben herrscht jedoch regelmäßig an seinem kleinen Nachbarn, dem Blankenstein, gehört er doch zu den Lieblingszielen der Münchner Klettereleven. Der gängigste Weg auf den Risserkogel dürfte der über den Wallberg sein, wobei die Bahn gerne in Anspruch genommen wird. Wer allerdings den Ehrgeiz hat, den Berg aus eigener Kraft ganz zu ersteigen, startet am besten bei der Hufnagelstube im Rottacher Tal bei der Talstation der Suttenbahn.

Wir wandern vom Parkplatz zuerst rechts über eine Brücke und folgen dann der befestigten Almstraße bis zu einer Wegteilung; dort gehen wir geradaus weiter, überqueren bald den Schiffbach und steigen weiter durch Wald bergan bis zu einer weiteren Wegteilung, wo wir uns wieder rechts halten (hier könnten wir auch über die Röthensteinalm direkt auf den Risserkogel steigen). Rechts lassen wir die Rottachalm liegen und folgen dem Fahrweg bis zu seinem Ende. Das letzte Stück dann über freies Gelände und einen Wanderweg hinauf zum Wallberghaus, wo wir einen ersten Geschmack von der Beliebtheit des Berges erahnen. Falls wir nicht hier schon Rast machen wollen, machen wir noch einen Abstecher zum Wallberggipfel, denn nur dort bietet sich uns der prächtige Anblick des Tegernsees. Und so nebenbei können wir auch noch die Künste der Gleitschirmflieger beobachten.

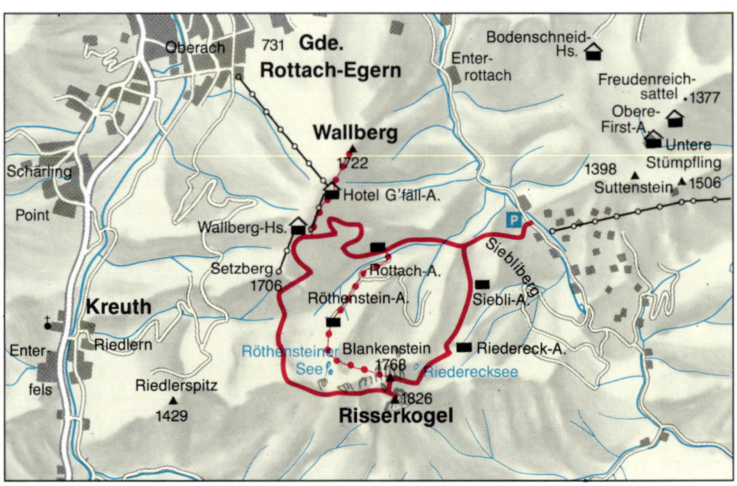

Um auf den Risserkogel zu gelangen, gehen wir gleich nach dem Wallberghaus links am Setzberg vorbei und wandern auf schmalem, aber aussichtsreichem Steig auf dessen Südseite, wo wir dann im Wald verschwinden und entlang des Alpenlehrpfades hinauf aufs Grubereck (1664 m) gelangen. Auf dem latschenbedeckten Westgrat des Risserkogels heißt es dann etwas aufpassen, denn die letzten Meter sind steil (einige Drahtseilsicherungen). Unter uns sehen wir den verlockenden Röthensteiner See und die Kalkplatten des Blankensteins. Nachdem wir die herrliche Aussicht bis hinein in die Zentralalpen genossen haben, steigen wir auf einem landschaftlich sehr reizvollen Weg über den Blankensteinsattel, die Riedereckalm und die Sieblialm durch baumbestandene Almwiesen ab. Den Ausgangspunkt unserer Tour erreichen wir dann wieder über die letzten Meter des Anstiegswegs.

Blickt man vom Gipfel des Risserkogels Richtung Südwesten über die stillen, noch dicht bewaldeten Täler der südlichen Tegernseer Berge hinweg, erkennt man links hinten die Rotwand und rechts das Hintere Sonnwendjoch. Am Horizont scheinen noch die zackigen Felsgipfel des Wilden Kaisers auf.

31 HIRSCHBERG

Ein ganzjährig geöffnetes Berggasthaus lädt zur Einkehr

GIPFEL
Hirschberg, 1670 m.

TALORT
Bad Wiessee, 735 m.

AUSGANGSPUNKT
Ortsteil Abwinkl. Bei der Brücke über den Söllbach von der B318 nach Westen abbiegen, Parkplätze am Söllbach.

ANFAHRT
a) mit dem Auto: Auf der Salzburger Autobahn bis zur Ausfahrt Holzkirchen, dann auf der Landstraße weiter über Gmund nach Bad Wiessee. Achtung: Zwischen Holzkirchen und dem Tegernsee an Wochenenden und Feiertagen extrem starker Ausflugsverkehr!
b) mit Bahn/Bus: Per Bahn von München über Holzkirchen nach Tegernsee; von hier Bus- und Fährschiffverbindung nach Bad Wiessee.

GEHZEITEN
Für den Aufstieg von Bad Wiessee zum Hirschberghaus 2 bis 2½ Std., weiter zum Gipfel ½ Std. Für den Abstieg vom Gipfel nach Bad Wiessee 2 Std. Gesamtgehzeit: etwa 5 Std.

SCHWIERIGKEIT
Von Bad Wiessee bis zur sog. Hirschlache handelt es sich um voralpine Spazierwege. Von da setzt sich der Weg zur Hütte und zum Gipfel auf unschwierigen Bergsteigen fort, die aber immerhin Trittsicherheit voraussetzen.

HÜTTEN/EINKEHR
Hirschberghaus, 1544 m (fast ganzjährig bewirtschaftet; geschlossen nur Mitte November bis Mitte Dezember, 30 Betten, 25 Lager); Gasthof „Bauer in der Au", 904 m.

KARTE
Topographische Karte 1:50 000, Sonderblatt „Bad Tölz – Lenggries und Umgebung" (BLVA).

Eine bayerische Voralpenwanderung, die wohl kaum Wünsche offenläßt. Bequeme, ebene Spazierwege zu Beginn, eine (fast) ganzjährig geöffnete Bergwirtschaft knapp unter dem Gipfel, Fern- und Nahsicht wunderbar, und zuletzt, am Abstiegsweg, Einkehr im Traditionsgasthaus „Bauer in der Au" in Söllbachtal. Ein richtiger Tegernsee-Wandertag also.

Im Wiesseer Ortsteil Abwinkl beginnt die Wanderung auf den Hirschberg. Ausgeschildert und entsprechend beliebt ist der Weg zum „Bauer in der Au", wo jetzt, am Vormittag, noch keine Zeit zum Rasten ist. Schließlich ruft doch der Berg …

Vom Gasthaus geht es 10 Minuten in südlicher Richtung weiter, dann zweigt linker Hand ein Steig ab (Markierung H1, Hirschberghaus), der rasch an Höhe gewinnen läßt. Bald ist die Forststraße, die von Scharling heraufzieht, erreicht; auf ihr setzt man den Weg fort zur Hirschlache, wo die „Talstation" der Materialseilbahn zum Hirschberghaus verrät, daß es so weit nun nicht mehr ist.

In vielen Kehren windet sich der Steig von Norden her zum Hirschberghaus empor; zwei Stunden sind es bis hierher und noch eine halbe bis zum Gipfel. Vom Haus beschreibt der Weg einen Südwestbogen, durch Latschen und über einen Wiesenrücken führt er zum Kreuz am 1668 Meter hohen Hirschberg.

Vom Gipfel des Hirschberg hat man einen schönen Blick auf den Tegernsee.

Das Hirschberghaus bietet Unterschlupf nahezu das ganze Jahr über. Hier der Blick nach Westen mit Ochsenkamp und Fockenstein im Bild.

Der Abstieg erfolgt am Anstiegsweg. Das ist der günstigste Weg, um zurück nach Bad Wiessee zu gelangen. Und er bietet zudem die Möglichkeit, beim „Bauer in der Au" eine helle Halbe zu trinken, wie es sich unterm weißblauen Föhnhimmel gehört. Zumindest nach so einem Wandertag.

Wem allerdings weniger nach zünftiger Brotzeit als nach ausgedehnter Bergwanderstille zumute ist, dem kann eine ausgiebige Abstiegsvariante empfohlen werden. Vom Gipfel des Hirschbergs geht man zurück zur Hütte, schlägt dann aber nicht den Anstiegsweg ein, sondern hält sich südostwärts, Richtung Kreuth. Anfangs als schmaler Bergsteig, bald aber breit und bequem führt der Weg hinab zur Grundhütte. Von dort zieht ein Forstweg westwärts ins Söllbachtal, das man nach etwa 1½ Stunden erreicht. Im Tal hält man sich nordwärts, wandert auf der breiten Forststraße den Söllbach entlang und kann Interessantes beobachten: Wie der Bach sich in Jahrmillionen sein Bett gegraben hat, läßt sich an mancher Felskehre bestens ablesen. Aber auch die Erosion, die an den Steilflanken oberhalb der Forststraße nagt, zeigt hier ihre Wirkung.

Nach insgesamt drei Stunden Abstieg vom Gipfel erreicht man den Bad Wiesseer Ortsteil Abwinkl, wo man am Morgen die Wanderung begonnen hat. Wer bei dieser Variante auf den „Bauer in der Au" verzichtet hat, kann dann noch in der Söllbachklause Rast machen, oder er wird bestimmt in Bad Wiessee bzw. in den anderen Orten rund um den Tegernsee fündig. Die gute Einkehr ist hier kein Problem.

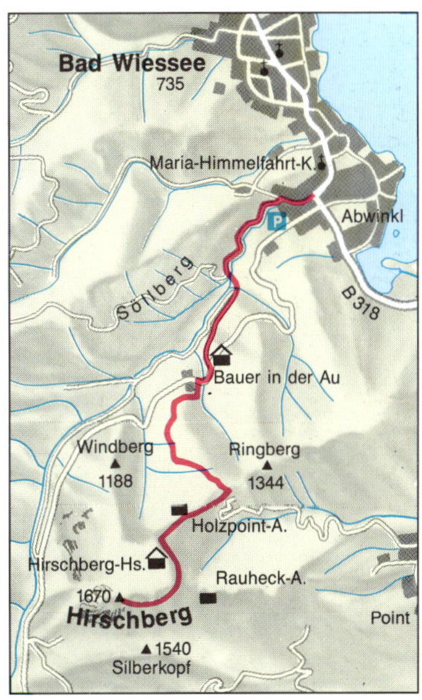

32 ROSS- UND BUCHSTEIN

Doppelgipfel für Wanderer und Kletterer

GIPFEL
Roßstein, 1698 m.
Buchstein, 1701 m.

TALORT
Kreuth, 772 m.

AUSGANGSPUNKT
Parkplatz beim Gasthaus Bayerwald.

ANFAHRT
a) mit dem Auto: Salzburger Autobahn bis zur Ausfahrt Holzkirchen, dann auf der Landstraße über Gmund und Bad Wiessee nach Kreuth und weiter bis zum Parkplatz 700 Meter hinter dem Gasthaus Bayerwald.
b) mit Bahn/Bus: Mit der Bahn von München bis zum Endpunkt der Linie in Tegernsee; von dort mit RVO-Bus über Kreuth bis zur Haltestelle Bayerwald.

GEHZEITEN
Anstieg vom Parkplatz bis zur Tegernseer Hütte 2½ Std., Abstecher auf die Hüttengipfel: Roßstein (wenige Minuten), Buchstein¼ Std. Abstieg auf dem Anstiegsweg 1½ Std. (bei Umrundung des Roßsteins 2 Std.), Abstieg über Buchsteinhütte und Schwarzenbachtal 3 Std. Gesamtgehzeit: 4½ Std. bis 6 Std., je nach Routenwahl.

SCHWIERIGKEIT
Einfacher Bergsteig bis zum Fuß des Roßsteins, dann stellenweise Seilsicherung. Trittsicherheit erforderlich. Der Anstieg auf den Roßstein ist leicht, der auf den Buchstein erfordert jedoch bereits etwas Kletterfertigkeit (Schwierigkeitsgrad I, abgeschliffener Fels).Der Rückweg ist auf beiden Routen sehr einfach.

HÜTTEN/EINKEHR
Tegernseer Hütte, 1650 m (AV-Hütte, von Mitte Mai bis Mitte Oktober bewirtschaftet, 30 Lager); Buchsteinhütte, 1240 m (mit Ausnahme der letzten beiden Novemberwochen ganzjährig bewirtschaftet, 30 Betten, 20 Lager); Gasthaus Bayerwald.

KARTE
Topographische Karte 1:50 000, Sonderblatt „Bad Tölz – Lenggries und Umgebung“ (BLVA).

Der Doppelgipfel Roß- und Buchstein (am leichtesten von der Achenseepaßstraße zu erreichen) gehört zu den besonderen Schmankerln der bayerischen Vorberge. Knapp unterhalb der beiden Gipfel thront wie in einem Adlernest die gemütliche Tegernseer Hütte in bester Aussichtslage. Von den beiden Gipfeln ist der Roßstein den Wanderern zugedacht, der Buchstein lockt den, der schon mal seine Kletterfertigkeit erproben möchte. Daß dieser Verlockung schon viele erlegen sind, beweist der abgegriffene Fels.
Unser Hüttenanstieg beginnt am Parkplatz: Wir steigen zuerst steil durch Wald bergan zum Sonnbergalm-Niederleger. Dort zwischen den Hütten durch und jenseits nun weiter bis zur Waldgrenze. Knapp oberhalb erwartet uns dann der Sonnbergalm-Hochleger mit einer überraschenden Aussicht auf das Tegernseer Tal. Steil über uns erkennen wir bereits die Tegernseer Hütte. Rasch steigen wir nun links weiter über Bergwiesen an bis zum allseits bekannten Brotzeitfelsen am Fuß des Roßsteins. Hier legen wir eine Klettersteigeinlage ein (für nicht Schwindelfreie bietet sich die Umrundung des Roßsteins an, wobei wir allerdings etwas an Höhe verlieren und von Norden in Serpentinen, zum Teil über Geröll, zur Hütte ansteigen – diese Variante hat auch den bemerkenswerten Namen „Altweibersteig“ erhalten) und erreichen nach 20 Minuten unser erstes Ziel, die Tegernseer Hütte. Die Gipfel-

abstecher sind dann nach Gusto. Für den Rückweg nehmen wir den Abstieg über die Nordflanke, wobei wir einen Schlenker zur Buchsteinhütte einplanen können (ein Abkürzer bringt uns schneller talwärts). Wir halten uns bei der ersten Verzweigung also links, bei der zweiten rechts und gelangen so zur Hütte, von der aus wir dann auf bequemem Fahrweg in zum Teil weiten Serpentinen ins Schwarzenbachtal absteigen. Dort, an der Brücke über den Bach angelangt, haben wir die Möglichkeit, rechts den schmalen, aber interessanten Steig oder (nach der Brücke) den breiten Fahrweg hinaus zur Bundesstraße zu benutzen. Rechts dann entlang der Fahrstraße zurück zum Ausgangspunkt.

Die stets gutbesuchte Tegernseer Hütte bietet neben Brotzeit und Getränken einen Sinnenkitzel besonderer Art: Direkt am Abgrund gebaut, fühlt man sich beim tiefen Blick ins Glas wie auf einer Wolke ...

Links: Hat man die langen Waldpassagen der ersten Anstiegsetappe hinter sich, tut sich beim Sonnberg-Hochleger ein grandioser Blick auf: Links erkennen wir den charakteristischen Felszahn des Leonhardsteins, dahinter Wallberg und Risserkogel mit dem Blankenstein. Rechts (nicht im Bild) der Blaubergkamm und der Schildenstein.

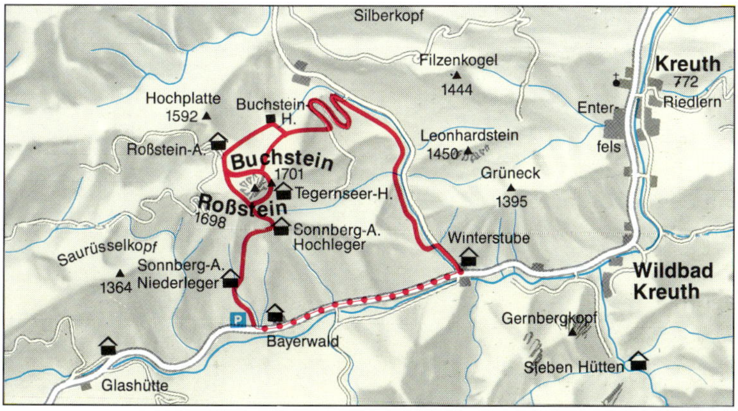

33 HALSERSPITZ

Eine Überschreitung des Blaubergkamms

GIPFEL
Halserspitz, 1862 m.

TALORT
Kreuth, 772 m.

AUSGANGSPUNKT
Parkplatz Enterfelser Alm, 3 km nach Kreuth an der Straße zum Achenpaß.

ANFAHRT
a) mit dem Auto: Salzburger Autobahn bis zur Ausfahrt Holzkirchen, dann auf der Landstraße über Gmund, Bad Wiessee und Kreuth zum Ausgangspunkt.
b) mit Bahn/Bus: Mit der Bahn von München bis zum Endpunkt der Linie in Tegernsee; von dort mit RVO-Bus über Rottach-Egern und Kreuth bis zur Haltestelle Enterfelser Alm.

GEHZEITEN
Vom Parkplatz über Siebenhütten auf die Halserspitz 4½ Std., für den Übergang über die Blauberge und den Abstieg durch die Wolfsschlucht benötigen wir weitere 3½ Std. Gesamtgehzeit: etwa 8 Std.

SCHWIERIGKEIT
Bis zu den Siebenhütten breite Almwege, dann überwiegend schmale und steile Bergsteige. Trittsicherheit und Schwindelfreiheit Voraussetzung. Anspruchsvolle Tour hinsichtlich Kondition. In der Wolfsschlucht einige Seilsicherungen.

HÜTTEN/EINKEHR
Siebenhüttenalm, 836 m (Anfang Mai bis Ende Oktober bewirtschaftet, Dienstag Ruhetag); Blaubergalm, 1500 m (während der Weidezeit einfach bewirtschaftet).

KARTE
Topographische Karte 1:50 000, Sonderblatt „Mangfallgebirge“ (BLVA).

Eine Bergwanderung, die sich auf längerer Strecke in Kammnähe hinzieht, gehört zum Genußvollsten, was sich im Gebirge erleben läßt. Dahinbummeln auf der Höhe, ungetrübter Rundblick pausenlos, oben sein, oben bleiben, zumindest für gewisse Zeit. So eine Tour ist die Überschreitung des Blaubergkammes.

In Wildbad Kreuth schnürt man die Wanderschuhe, studiert die Karte, betet ein „Gegrüßet seist du, Maria“ (nicht wegen der Tour! wegen der ausbleibenden göttlichen Eingebungen an die bayerische Staatspartei, die hier eine Bildungsstätte unterhält!) und macht sich auf den Spazierweg zu den Siebenhüttenalmen. Nach den Almen geht es nun nicht rechts weg zur Wolfsschlucht, sondern geradeaus weiter talein. Ein schmaler, abwechslungsreicher Bergpfad führt über die Hohlensteinalm und die Wenigberghütte an den Gipfelaufschwung der Halserspitze heran. Bald nach dem verfallenen Stangenhäusel führt der Weg in Latschen- und Schrofenzonen. Bei einer Gabelung hält man sich rechts und erreicht über zuletzt steiles Schrofengelände den Gipfel (1862 m).

Westlich absteigend befinden wir uns nun auf dem Blaubergkamm. Er führt über den Karspitz, den Blaubergkopf, die Wichtelplatte und die Blaubergschneid. Hier verläßt das Weglein dann den Kamm, zieht südwärts hinab zu Blaubergalmen und Blaubergsattel.

Für den Abstieg gibt es nun zwei Möglichkeiten: a) kürzer, aber schwieriger vom Sattel nordwärts durch die Wolfsschlucht zu den Siebenhüttenalmen oder b) nach Westen auf den Schildenstein, 1611 m, und von dort auf bequemem Weg übers Graseck nach Wildbad Kreuth.

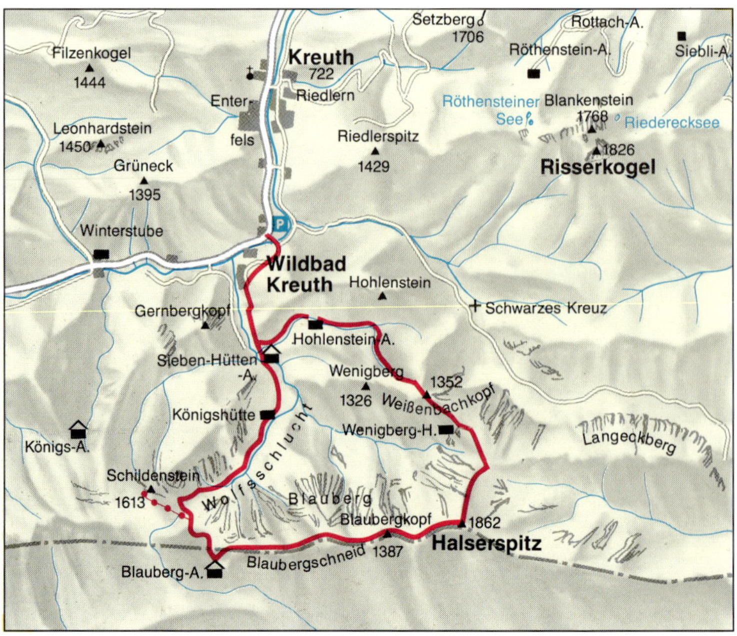

Blick zurück über den Blaubergkamm Richtung Osten. Am Ende des langen Kammes die Halserspitz, nicht nur die höchste Erhebung des gesamten Kammes, sondern auch der Tegernseer Berge.

34 GUFFERT

Drahtseilgesicherter Anstieg auf einen Einzelgänger

GIPFEL
Guffert, 2196 m.

TALORT
Steinberg am Rofan, 1010 m.

ANFAHRT
a) mit dem Auto: Von Norden über Tegernsee und den Achenpaß bis kurz vor Achenkirch, dann links und 10 km weiter bis Steinberg am Rofan.
b) mit Bahn/Bus: Auf der Strecke München – Rosenheim – Innsbruck bis Jenbach, dann mit Bahnbus von Jenbach-Bhf über Maurach und Achenkirch nach Steinberg am Rofan.

GEHZEITEN
Von Steinberg über den Guffertstein zum Gipfel 4,5 Std.; Abstieg auf dem Anstiegweg 3 Std. Gesamtgehzeit: 7,5 Std. Für einen Abstecher zur Gufferthütte muß man 2 Std. mehr einplanen.

SCHWIERIGKEIT
Zu Beginn Fahrwege, dann Bergsteige; im Gipfelbereich Schrofen (einige Drahtseilsicherungen).

HÜTTEN/EINKEHR
Diverse Gasthäuser in Steinberg; für die anderen Tourenvorschläge kommt auch noch die Gufferthütte, 1465 m (AV-Hütte, 40 Plätze, bewirtschaftet von Anfang Juni bis Ende Oktober und von Weihnachten bis Dreikönig) sowie die Jausenstation Untere Bergalm in Frage.

KARTE
Amtliche österreichische Karte 1:50 000 des Bundesamtes für Eich- und Vermessungswesen, Blatt 88 „Achenkirch".

HINWEISE
Aufgrund der exponierten Lage hat der Guffert eine relativ lange Saison.

Von fast allen Bergen der Bayerischen Voralpen, des Kaisers, des benachbarten Karwendels und weit darüber hinaus fällt dem Wanderer zuerst die doppelköpfige Gipfelgestalt des Guffert auf, die, weit nach Norden vorgeschoben, alle Nachbarn weit überragt. Dadurch wird der Guffert zum Anhaltspunkt Nummer eins, anhand dessen man auch viele andere Gipfel bestimmen kann. Auch die Aussicht vom Guffert selbst kann sich sehen lassen; an klaren Tagen erkennt man leicht noch den Münchner Fernsehturm ...
Dabei ist dieser Berg gar nicht schwer zu erreichen und auch noch spät im Jahr gut begehbar. Vom Steinberg aus führen sogar zwei Wege hinauf, wovon der östliche etwas bequemer ist. Der Wanderweg führt durch Wald und Latschengassen über den Vorgipfel des Guffertsteins zum Gipfel.
Man kann diese Wanderung natürlich ein schönes Stück länger und abwechslungsreicher gestalten, indem man den Steig über die Nordseite Richtung Gufferthütte absteigt und, das Massiv in weitem Bogen über die Stubachalm westseitig umwandernd, bei der Unteren Bergalm auf die Straße nach Steinberg stößt. Weniger geübte Wanderer sollten lieber zum Guffertstein zurückgehen, von diesem zur Breitlahneralm und Ißalm absteigen und unter den Wänden wieder westwärts querend die Gufferthütte erreichen.

Das bereits Ende des 12. Jahrhunderts erwähnte Steinberg am Rofan hat seinen dörflichen Charakter bis heute bewahrt.

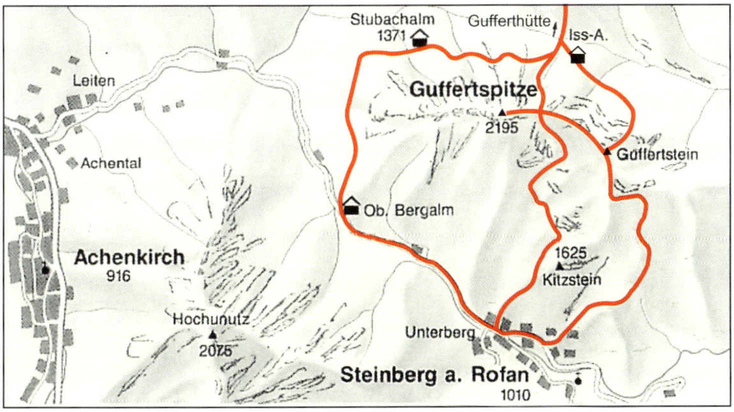

Der Guffert bildet die nördliche Begrenzung des Rofangebirges. Abgetrennt vom restlichen Massiv bietet er als wuchtige Felspyramide einen Aussichtsberg ersten Ranges; hier sein Westgipfel.

35 ROFANSPITZE

Leichte Gipfeltour mit großartiger Aussicht

GIPFEL
Rofanspitze, 2259 m.

TALORT
Brixlegg, 534 m.
Kramsach, 588 m.

AUSGAGNGSPUNKT
Talstation der Sonnwendjochbahn.

ANFAHRT
a) mit dem Auto: Inntalautobahn bis zur Autobahnausfahrt Kramsach, weiter in Richtung Brandenberg und vor der Brücke über die Brandenberger Ache links zur Talstation der Sonnwendjoch-Bergbahn.
b) mit der Bahn: Auf der Strecke München – Rosenheim – Innsbruck bis zur Bahnstation Brixlegg, dann mit Bus nach Kramsach.

SCHWIERIGKEIT
Im unteren Teil Almstraßen, sonst Bergwanderwege; der Schafsteig ist schmal und z. T. drahtseilgesichert. Der Anstieg auf den Sagzahn ist relativ steil und angesetzt; einige Drahtseilsicherungen.

GEHZEITEN
Von Kramsach zum Zireiner See (1800 m) 4 Std., Anstieg auf Rofanspitze 1½ Std., Übergang zum Vorderen Sonnwendjoch 1 Std., Abstieg über die Bayreuther Hütte nach Kramsach 3 Std. Gesamtgehzeit: 9½ Std.

HÜTTEN/EINKEHR
Bayreuther Hütte, 1576 m (AV-Hütte, bewirtschaftet von Ende Mai bis Anfang Oktober, ca. 75 Plätze); Roßkogelhütte (Sonnwendjochhaus), 1783 m (ganzjährig bewirtschaftet während der Betriebszeiten des Liftes).

KARTE
Alpenvereinskarte 1:25 000 „Rofangebirge".
Amtliche österreichische Karte 1:50 000 des Bundesamtes für Eich- und Vermessungswesen, Blatt 119 „Schwaz" und 120 „Wörgl".

Der Zireiner See setzt einen reizvollen Kontrapunkt zu den felsigen Gipfelaufbauten der Rofanspitze und des Hochiss. Das klassische Bildmotiv im Rofangebirge.

Das Rofangebirge paßt mit seinem plateauartigen Aufbau eher zu den weiter östlich gelegenen Gruppen der Nördlichen Kalkalpen, etwa zu den Berchtesgadener Bergstöcken. Die Höhenunterschiede der Gipfel des zentralen Vierecks Dalfazer Roßkopf – Streichkopf – Rofanspitze – Vorderes Sonnwendjoch sind gering. Landschaftliche Hochglanzpunkte, zu deren Genuß die entsprechende Klientel busweise vorgefahren wird, wie etwa der Große Ahornboden im benachbarten Karwendel, sind dem Rofangebirge nicht vergönnt – beziehungsweise erspart geblieben. Seine Vorzeigestücke zeigt es weniger den Vielen, Eiligen, als den Wenigen und Gemächlichen.
Der Anblick der Rofanspitze von Osten, wie sie sich, den Rofanturm an ihre breiten Schultern gelehnt, im Zireiner See spiegelt, gehört zu den bekanntesten Landschaftsbildern der Ostalpen. Wählen wir deshalb einen Anstiegsweg, auf dem uns dieser Anblick nicht entgeht:
Von Kramsach (bzw. Brixlegg) aus geht es zunächst zur Bayreuther Hütte. Dafür gibt es mehrere Möglichkeiten, wie die ausgezeichnete 1:25 000er Alpenvereinskarte zeigt. Am leichtesten dürfte der Ausgangspunkt „Sonnwendjochbahn-Talstation" (falls wir die Bahn benützen, ist es nur eine halbe Stunde zum Zireiner See) zu finden sein. Von hier aus geht's auf einer Almstraße zur Bayreuther Hütte hinauf. Eigentlich brauchen wir nicht ganz bis zur Hütte zu gehen, sondern können schon vorher zur Ludoialm abbiegen und von dieser aus über Almwiesen und durch Latschen zum Zireiner See aufsteigen. Weiter geht's zum Marchgatterl und über den Schafsteig, der sich durch ihre Ostflanke auf die Rofanspitze windet. Im Abstieg wandern wir zunächst zurück zum Schafsteigsattel und dann fast ohne Höhenverlust nach Süden. Wir überschreiten den ganzen Kamm über den Sagzahn bis zum Vorderen Sonnwendjoch, wobei wir eine prächtige Aussicht aufs Inntal und auf die Kitzbüheler und Zillertaler Alpen genießen. Vom Vorderen Sonnwendjoch steigen wir zur Bayreuther Hütte ab, wo wir die unterlassene Einkehr vom Vormittag nachholen können.

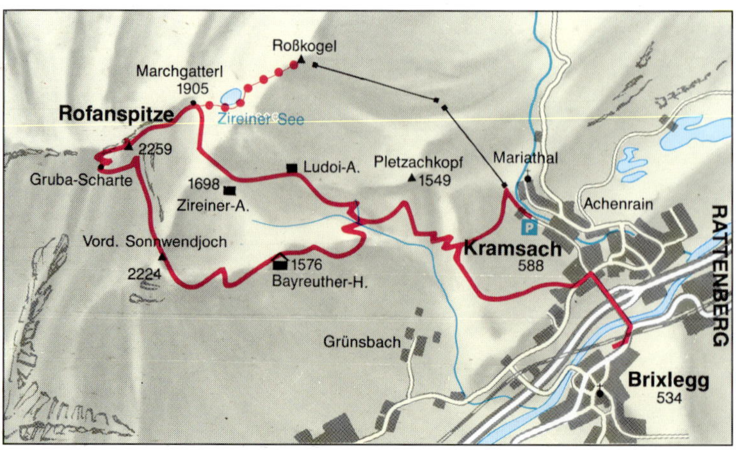

36 HOCHISS

Felspyramide über dem Achensee

GIPFEL
Hochiß, 2299 m.

TALORT
Maurach, 975 m.

AUSGANGSPUNKT
Talstation der Rofanseilbahn.

ANFAHRT
a) mit dem Auto: Auf der Inntalautobahn bis zur Ausfahrt Achensee/Zillertal; dann Richtung Achensee bis Maurach. Parkplätze an der Talstation der Seilbahn.
b) mit Bahn/Bus: Auf der Strecke München – Rosenheim – Innsbruck bis zur Bahnstation Jenbach, dann mit der Achentalbahn nach Maurach und zu Fuß zur Talstation (auch Anfahrt von Jenbach mit Bus möglich).

GEHZEIT
Von Maurach bis zur Dalfazalm 2 Std., weiter zur Hochiß 2 Std., Abstieg über Erfurter Hütte 3 Std. Gesamtgehzeit: 7 Std.

SCHWIERIGKEIT
Von Maurach zur Erfurter Hütte bzw. zur Dalfazalm zu Beginn Fahrweg, dann einfache Bergwege. Gipfelanstieg von der Dalfazalm über den Kotalmsattel auf Bergsteig, zuletzt recht steil. Der Abstieg zur Erfurter Hütte ist im oberen Teil z. T. mit Drahtseilen gesichert, dann einfacher Wanderweg.

HÜTTEN/EINKEHR
Erfurter Hütte, 1834 m (AV-Hütte, 70 Plätze, bewirtschaftet von Mitte Mai bis Mitte Oktober); Dalfazalm, 1693 m (im Sommer bewirtschaftet).

KARTE
Alpenvereinskarte 1: 25 000 „Rofangebirge“.
Amtliche österreichische Karte 1:50 000 des Bundesamtes für Eich- und Vermessungswesen, Blatt 88 „Achenkirch“.

Namen sind Schall und Rauch, können aber trotzdem eine interessante und auch komplizierte Geschichte haben. So auch der Name „Rofangebirge“: Offiziell gibt es gar kein solches Gebirgsmassiv. Denn die erstmals vom Geographen Heinrich Moriggl erarbeitete Gebietseinteilung der Ostalpen, die auch vom Alpenverein als verbindlich angesehen wird, nennt das ganze weite Dreieck zwischen Achensee, Inntal und Bayerischen Voralpen die „Brandenberger Alpen“. Da sich die Bergsteigerei in diesen Brandenberger Alpen jedoch zu 99,9% in deren Südwestecke, nämlich im Rofanstock abspielt, kennt jedermann den Namen Rofan und keiner den Namen Brandenberger Alpen. Doch auch jenes „Rofan“ war nicht immer so selbstverständlich. Früher, um die Jahrhundertwende, gebrauchte man meist den deutschen Namen „Sonnwendgebirge“ und erst seit den zwanziger Jahren setzte sich zunehmend wieder der alte rätoromanische Name durch. Man deutet ihn heute als von „rova“ (Mure) kommend, also etwa als „Berg mit Muren“. Keine ganz unplausible Bezeichnung, wenn man an die riesigen Schuttreißen denkt, die vom Ebner Joch nach Osten herunterfließen und weit ins Inntal sichtbar sind.

Mit dem Bau der Rofanseilbahn ist das Gebiet um die Erfurter Hütte leider zum Skipistenbereich geworden. Wer die innere Größe aufbringt, die Seilbahn links liegenzulassen, steigt von der Talstation ein

Blick über die Marktgemeinde Jenbach im Inntal auf das Rofangebirge. Der Anfang des 14. Jahrhunderts erstmalig erwähnte Ort war im 16. Jahrhundert Mittelpunkt des prosperierenden Bergbaus im Inntal. Von Jenbach führt eine steile Straße hinauf nach Maurach, dem Talort der Rofan-Seilbahn.

ganz kurzes Stück auf dem Weg Richtung Erfurter Hütte auf und zweigt bald nach links auf den Weg ab, der ihn über die Durra- zur Dalfazalm hinaufführt. Wer die Seilbahn benützen mußte, wandert von der Bergstation in einer Dreiviertelstunde gemütlich und mit wunderbarer Aussicht hierher. Nun geht es zur Rofan-Hochfläche hinauf, welche man auf dem Streichkopf erreicht. Gleich nebenan erhebt sich die Hochiß. Nur einen Steinwurf unter ihrem Gipfel vorbei führt unser Weg jenseits wieder hinunter zur Erfurter Hütte. Im Abstieg kann man von der Buchaueralm entweder den direkteren Fußweg oder aber die knieschonendere Fahrstraße wählen.

Der Hochiß ist nicht nur der formschönste Rofangipfel, er ist auch sein höchster. Von Süden wie von Norden zeigt er sich als ebenmäßige Pyramide. Seine Ersteigung ist dennoch nicht schwierig, Trittsicherheit und Schwindelfreiheit vorausgesetzt.

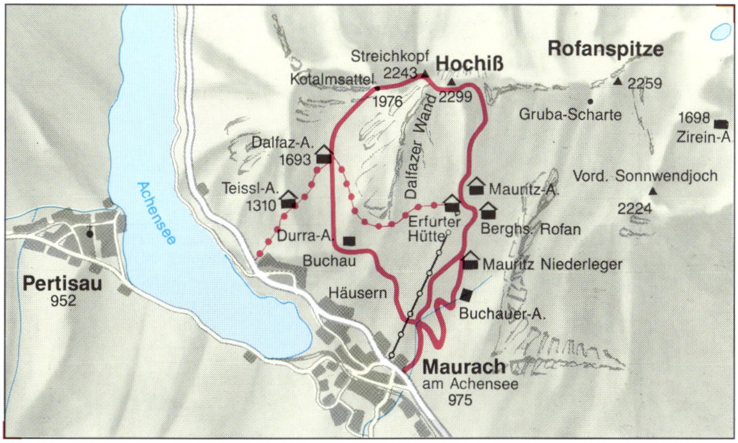

37 LAMSENSPITZE UND SONNJOCH

Über dem Großen Ahornboden

GIPFEL
Lamsenspitze, 2508 m.
Sonnjoch, 2457 m.

TALORT
Hinterriß, 928 m.

AUSGANGSPUNKT
Engalm (Großer Ahornboden), 1203 m.

ANFAHRT
a) mit dem Auto: Über Holzkirchen oder Penzberg (jeweils Autobahnausfahrt) nach Bad Tölz und weiter nach Lenggrie - Sylvensteinsee - Vorderriß - Hinterriß/Eng (Grenzübergang).
b) mit Bahn/Bus: Per Bahn nach Bad Tölz bzw. Lenggries und mit RVO-Bus nach Hinterriß/Eng (nur von Ende Mai bis Ende September).

GEHZEITEN
Von der Eng zur Lamsenjochhütte 2 Std., Gipfeltour zur Lamsenspitze und zurück 3½ Std., Anstieg von der Lamsenjochhütte zum Sonnjoch 3 bis 3½ Std., Abstieg in die Eng 2 bis 2½ Std. Gesamtgehzeit: für beide Gipfel etwa 10 Std. reine Gehzeit.

SCHWIERIGKEIT
Um die Lamsenjochhütte/Lamsscharte/Grameialm breite, vielbegangene Wanderwege, Gipfelaufbau der Lamsenspitze versicherter, bezeichneter Steig, stellenweise Schwierigkeitsgrad I; Sonnjoch bezeichneter Steig, stellenweise I.

HÜTTEN/EINKEHR
Lamsenjochhütte, 1953 m (AV-Hütte, 130 Plätze, bewirtschaftet von Anfang Juni bis Mitte Oktober); Gramei-Hochleger-Schutzhütte, 1750 m (privat, 16 Plätze, von Anfang Mai bis Mitte Oktober bewirtschaftet).

KARTE
Alpenvereinskarte 1:25 000, „Karwendelgebirge", Westliches Blatt. Amtliche österreichische Karte 1:50 000 des Bundesamtes für Eich- und Vermessungswesen, Sonderblatt „Karwendel".

Karwendelgebirge – das heißt für den Bergsteiger: endlose Täler, Forststraßen, Wälder, zauberhafte Böden, lange Schuttreißen, schwer zugängliche Gipfelregionen und ein gehöriger Vorrat von jener Entlegenheit, die uns in anderen Gebieten oft knapp (und deswegen kostbar) geworden ist. Zugegeben, bei dem hochsommerlichen Touristenfasching, der sich alljährlich auf den Eng-Almen abspielt, ist von solcher Entlegenheit nichts zu spüren, und auch der „Karwendelmarsch", der jedes Jahr an einem Augustwochenende ganze Sportlerlegionen von Scharnitz nach Pertisau traben läßt, verwandelt die besagten Forst- in wahre Heerstraßen.
Doch das Karwendel ist weit genug, um immer noch seine Refugien der Ruhe zu behalten. Sicherlich zählt die Lamsenspitze zu den meistbesuchten Gipfeln des ganzen Massivs, wohingegen das Sonnjoch schon weit seltener bestiegen wird. Und wie so oft, ist auch hier alles eine Frage der Jahreszeit: Wer im Herbst kommt, bereit ist, im Winterraum der Hütten zu übernachten und sein Süppchen selbst zu kochen, der hat seine Ruhe. Dem kann man sogar empfehlen, über das Engtal (den berühmten Großen Ahornboden) anzureisen. Am besten mit dem Fahrrad, weil er da die Ahorne in voller Farbenpracht erlebt, weil er langsam genug ist, das genießen zu können und weil der Zirkus an den Engalmen vorüber ist.
Die Idylle sollte nicht darüber hinwegtäuschen, daß es dem Großen Ahornboden wie auch den übrigen Ahornböden des Karwendels nicht sehr gut geht. Vielleicht sind es Luftschadstoffe, die den Bäumen hier in immerhin 1200 Meter Meereshöhe stärker zusetzen als anderswo, die sie für Parasiten anfällig werden, kränkeln und vorzeitig sterben lassen. Trotz aller Pflege und Wiederaufforstung läßt sich der Baumbestand nur mit Mühe erhalten. Wenigstens sind die aberwitzigen Pläne einer Almstraße über das Lamsenjoch vom Tisch, da die Eng-Almen von Tiroler Seite „bestoßen" werden.

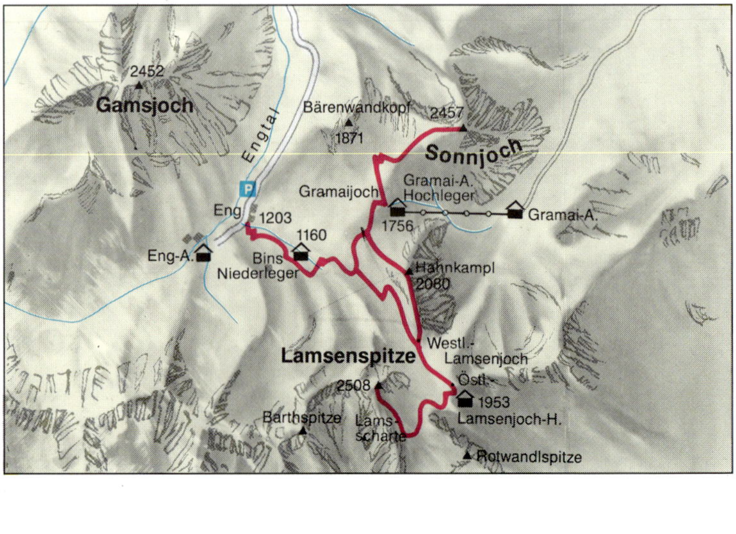

Wir beginnen unsere Tour also in der Eng und spazieren auf besten Wanderwegen talein und zur Lamsenjochhütte hinauf. Der Weg zum Gipfel der Lamsenspitze ist bestens angelegt und versichert und in weniger als vier Stunden bequem zu schaffen. Vorsicht ist nur in der Rinne am Beginn des Gipfelaufbaus geboten; wenn viele Wanderer unterwegs sind, besteht hier Steinschlaggefahr. Buchstäblich links liegen bleibt der spektakuläre Anstieg durch den Lamstunnel auf die Hochnisslspitze und jenseits ins wilde Vomper Loch hinab. Wir kehren von der Lamsenspitze auf gleichem Weg zurück und wandern am nächsten Tag zum Hochleger der Grameialm und weiter auf den massigen Gipfel des Sonnjochs. Da wir wieder in die Eng müssen, geht es auf dem Aufstiegsweg zurück bis zum Lamsenjochweg, über den wir am Vortag zur Hütte aufgestiegen sind.

Das Herzstück des Karwendelgebirges ist die Hinterautal-Vomper-Kette – lapidar auch Karwendelhauptkamm genannt. Und er kann mit einigen Superlativen aufwarten: 40 Kilometer Länge und 52 selbständige Gipfel. Die Lamsenspitze ist die beherrschende Berggestalt des östlichen Teils dieser Kette. Beeindruckt ihre Form bereits von der Eng aus, bleibt die Spannung bis zum Gipfel erhalten. Hier der Anblick von Südosten, vom Hochnissl. Der Normalweg führt zum Teil über den Verbindungsgrat beider Gipfel.

38 GROSSER BETTELWURF

Aussichtswarte über dem Inntal

GIPFEL
Großer Bettelwurf, 2725 m.

TALORT
Scharnitz, 964 m.
Hall, 574 m.

AUSGANGSPUNKT
Hall, Ortsteil Eichat, Parkplätze am Eingang (Mautstelle) zum Halltal. Großer Parkplatz (gebührenpflichtig) am östlichen Ortsrand von Scharnitz.

ANFAHRT
a) mit dem Auto: Auf der Autobahn München – Innsbruck bis zur Ausfahrt Hall, dann in nördlicher Richtung nach Absam, Eichat und ins Halltal. Oder: Autobahn München – Garmisch, dann weiter über Mittenwald bis Scharnitz. Achtung: Grenzübergang!
b) mit der Bahn: Auf der Strecke München – Kufstein – Innsbruck bis Bahnhof Hall. Oder: München – Garmisch – Innsbruck bis Bahnhof Scharnitz.

GEHZEITEN
Für den Aufstieg von Hall/Eichat zur Bettelwurfhütte 3½ Std.; weiter zum Gipfel 2 Std. Abstieg vom Gipfel nach Hall (auf dem Anstiegsweg) 3½ Std. Gesamtgehzeit: etwa 9 Std. Von Scharnitz zum Hallerangerhaus 5 Std., Übergang zur Bettelwurfhütte 2 Std.

SCHWIERIGKEIT
Der Hüttenanstieg aus dem Halltal ist für geübte und schwindelfreie Bergwanderer gut zu bewältigen. Der Aufstieg von der Hütte zum Gipfel ist aufgrund der Höhe und der Exponiertheit eine ernste, alpine Tour. Sicherheit im leichten Fels und Erfahrung im Begehen von Klettersteigen sind Voraussetzung. Der Hüttenanstieg von Scharnitz ist leicht, aber lang.

HÜTTEN/EINKEHR
Bettelwurfhütte, 2079 m (AV-Hütte, bewirtschaftet von Mitte Juni bis Mitte Oktober, 8 Betten, 41 Lager, 30 Notlager); Hallerangerhaus, 1768 m (AV-Hütte, bewirtschaftet von Anfang Juni bis Mitte Oktober, 26 Betten, 70 Lager).

KARTE
Alpenvereinskarte 1:25 000 „Karwendelgebirge", Mittleres Blatt.

Zweitausend Meter erhebt sich der Große Bettelwurf über dem Inntal. Er ist eine der mächtigsten und eindrucksvollsten Berggestalten im Karwendel. Und als interessante Bergtour überaus beliebt. Auf halbem Weg bietet die Hütte Möglichkeit zu Rast oder Übernachtung; der Gipfelaufstieg dann ist ein durchwegs gesicherter Klettersteig in rauher Felslandschaft.

Der Anstieg von Hall: Wer es mit seinem Gewissen vereinbaren kann, zahlt am nördlichen Ortsende von Hall in Tirol Mautgebühr und fährt mit dem Auto ins Halltal hinein. Wer Skrupel, nur zu berechtigte Skrupel hat, der wandert eine Stunde zu Fuß ins Tal, bis rechts der Steig zur Bettelwurfhütte abzweigt. Durch Wald geht es zur Bettelwurfreiße und mittels vieler Kehren über sie hinauf in immer wildere, alpinere Landschaften. Aus einem Felskessel führt der Steig westlich heraus, um über drahtseilgesichertes Felsgelände die Latschenhänge der Bettelwurf-Südflanke zu erreichen. Vorbei an der Abzweigung, die rechter Hand zum Großen Bettelwurf leiten würde, erreicht man in kurzer Zeit die 2079 Meter hoch gelegene Bettelwurfhütte.

Der Anstieg von Scharnitz: Vom Bahnhof geht man Richtung Ortsmitte, überquert die Isarbrücke und biegt dann jenseits links ab. Man bleibt auf der rechten Isarseite und folgt dabei immer dem breitesten Weg. Bald überquert man nochmals die Isar und steigt zum Gasthaus Schönwieshof an. Von dort wandert man auf dem geschotterten Fahrweg ins Hinterautal, immer dem Oberlauf der jungen Isar entlang bis zur Kastenalm; dort rechts weiter und hinauf zum Hallerangerhaus. Der Übergang zur Bettelwurfhütte erfolgt zuerst auf steilem Steig zum Lafatscherjoch, dann links auf dem Teilstück des „Innsbrucker Höhenwegs" nahezu eben durch die Südhänge der Speckkarspitze.

Für den Gipfelanstieg geht es am Anstiegsweg zur erwähnten Abzweigung zurück. Nun folgt man dem Steig in südöstlicher Richtung zum Rücken des Eisengattergrats und nordwärts empor zu Felsgelände. Rechts einer schräg herabziehenden Rinne leitet der fast durchwegs

Blick vom Gipfel des Großen Bettelwurfs nach Südwesten. Links unten die diesige Luft über dem Inntal. Rechts hinten erkennen wir das Wettersteinmassiv. Der langgestreckte Gebirgszug im Mittelgrund ist die sogenannte Nordkette des Karwendels mit Rumerspitze, Hafelekar, Brandjoch und den Solsteinen.

gesicherte Steig hinauf zum Gipfel des Großen Bettelwurfs (2725 m). – Der Abstieg erfolgt auf dem jeweiligen Anstiegsweg. Die Bettelwurfhütte läßt einem die Wahl, ob man die Tour als lange Tagestour oder weniger anstrengende Zweitagestour angehen will. Auch eine Überschreitung des Karwendelgebirges von Scharnitz nach Hall – also die Kombination der beiden Anstiegswege – ist sehr empfehlenswert.
Und noch ein Hinweis zum Schluß: Wer auf Kultur nicht verzichten will, wen nach dem Wandern auch noch die Geschichte reizt, dem sei empfohlen, einen Abstecher in die Unterwelten des Silber- und Kupferbergbaus zu machen. Hall bietet ein interessantes Bergbaumuseum.

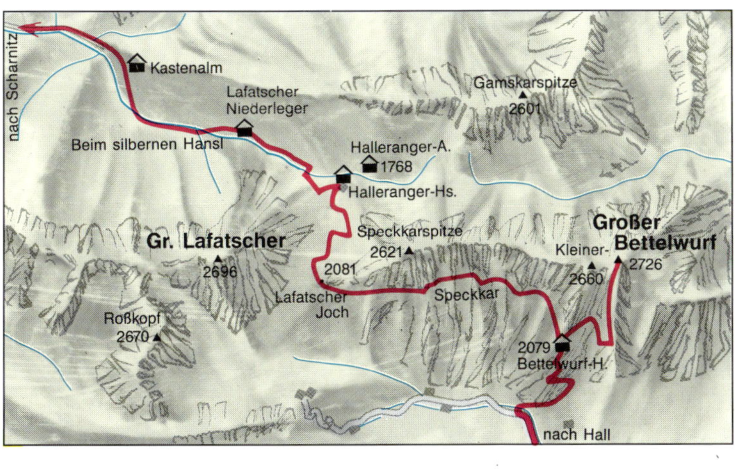

Linke Seite: Das Karwendelgebirge ist berühmt für seine ausgedehnten Kare. Auch beim Anstieg auf den Großen Bettelwurf erfahren wir die Brüchigkeit des Kalkgesteins. Der Gipfelanstieg von der Bettelwurfhütte ist zum Teil gesichert, erfordert aber dennoch alpine Erfahrung.

39 BIRKKARSPITZE

Auf den höchsten Gipfel des Karwendels

GIPFEL
Birkkarspitze, 2749 m.

TALORT
Scharnitz, 964 m.

AUSGANGSPUNKT
Großer Parkplatz (gebührenpflichtig) am östlichen Ortsrand von Scharnitz; Ausgangspunkt für alle Wanderungen in die Karwendeltäler.

ANFAHRT
a) mit dem Auto: Auf der Autobahn München - Garmisch, weiter über Mittenwald nach Scharnitz. Achtung: Grenzübergang in Scharnitz!
b) mit Bahn/Bus: Auf der Bahnlinie München - Garmisch - Mittenwald - Innsbruck, bis zum Bahnhof Scharnitz.

GEHZEITEN
Von Scharnitz zum Karwendelhaus 5 Std., vom Karwendelhaus zum Gipfel 3 Std. Für den Abstieg von der Birkkarspitze vorbei am Karwendelhaus und hinaus nach Scharnitz 6 Std., ebenso für den möglichen Abstieg durchs Birkkar und das Hinterautal nach Scharnitz 6 Std. Gesamtgehzeit: 5 Std. am 1. Tag; 9 Std. am 2. Tag.

SCHWIERIGKEIT
Der Hüttenanstieg zum Karwendelhaus ist eine lange, aber leichte Bergwanderung. Der Aufstieg zum Gipfel ist, wie auch der Abstieg im Birkkar, ein hochalpines Unterfangen. Notwendig sind guter Orientierungssinn, Erfahrungen im weglosen Gelände und in steilen Firnhängen, Wetterkenntnis. Es handelt sich nicht mehr um eine Wanderung, sondern um eine anspruchsvolle Bergtour. Der Weg im Hinterautal hinaus nach Scharnitz ist dann wieder leicht (Forststraße).

HÜTTEN/EINKEHR
Karwendelhaus, 1765 m (AV-Hütte, Mitte Juni bis Mitte Oktober bewirtschaftet, 45 Betten, 150 Lager); Kastenalm, unweit vom Jagdhaus „Im Kasten", 1200 m (in den Sommermonaten einfache Bewirtschaftung).

KARTE
Alpenvereinskarte 1:25 000 „Karwendel", Westliches und Mittleres Blatt.

Eine Zweitagestour führt uns hinein ins Herz des Karwendels. Am Beginn steht eine der langen Talwanderungen, mit denen man sich dieses Gebirge erschließen kann. Nach Übernachtung im Karwendelhaus folgt die Besteigung der Birkkarspitze durchs Schlauchkar. Eine hochalpine Tour in einem wilden Gebirge.

Von Scharnitz aus ziehen drei Täler tief hinein ins Karwendelgebirge. Wir nehmen das nördlichste, das Karwendeltal. Fünf Stunden Weg sind es bis zum 1765 Meter hoch gelegenen Karwendelhaus. Und es wären, da es immer auf einer Forststraße dahingeht, eintönige fünf Stunden, wäre da nicht die landschaftliche Großartigkeit, die gewaltigen Berge, die das Tal säumen.

Nach einer Übernachtung im Karwendelhaus beginnt der ernsthafte Teil der Tour. Gleich beim Haus setzt der kleine Steig an, der über eine drahtseilgesicherte Steilstufe südwärts ins Schlauchkar führt. Fast waagrecht leitet der Steig unterm Hochalmkreuz hindurch, um dann, im Kar stets links haltend, an Höhe zu gewinnen. Die Scharte zwischen der Östlichen Ödkarspitze und der Birkkarspitze wird über einen steilen, oft hart verfirnten Hang erreicht (besondere Vorsicht ist hier geboten). Vom Schlauchkarsattel mit seinem Notunterstandshüttchen ist es dann zum 2749 Meter hohen Gipfel nicht mehr allzu weit. Ein gesicherter Steig durchzieht den Gipfelaufschwung, führt erst nahe dem Westgrat, dann durch die plattige Südwestflanke hinauf zum Kreuz.

Der Abstieg kann auf der Anstiegsroute erfolgen (Vorsicht im Schlauchkar! Nicht auf den Altschneeflächen „abfahren". Erhöhte Absturzgefahr!).

Blick vom Steinfalk Richtung Süden über das Hinterautal auf die Birkkarspitze. Der höchste Gipfel des Karwendels wartet nicht gerade mit einer spektakulären Form auf (links oberhalb des großen Kares); in Bildmitte die Grubenkarspitze.

Links: Wem der lange Anmarschweg von Scharnitz durch das Karwendeltal zu lang ist, tut gut daran, das Mountainbike in Betracht zu ziehen. Der knapp 19 Kilometer lange Fahrweg endet erst beim Karwendelhaus.

Empfohlen sei aber die Überschreitung nach Süden: Vom Schlauchkar auf einsamem, teils drahtseilgesichertem Steig durchs Birkkar hinunter zum Jagdhaus „Im Kasten“ im Hinterautal. Und dann talaus nach Scharnitz.
Wer dann keinen Muskelkater hat …

40 PLEISENSPITZE

Ohne langen Anlauf hoch hinaus

GIPFEL
Pleisenspitze, 2569 m.

TALORT
Scharnitz, 964 m.

AUSGANGSPUNKT
Großer Parkplatz (gebührenpflichtig) am östlichen Ortsrand von Scharnitz; Ausgangspunkt für alle Wanderungen in die Karwendeltäler.

ANFAHRT
a) mit dem Auto: Aus Bayern entweder über Garmisch-Partenkirchen (Autobahn) oder Kochel – Mittenwald. Achtung: Grenzübergang in Scharnitz. Aus Tirol über Innsbruck – Zirl-Ost (Autobahn) – Seefeld nach Scharnitz.
b) mit Bahn/Bus: Scharnitz ist Bahnstation auf der Linie München – Garmisch-Partenkirchen – Innsbruck; sehr gute Bahnverbindungen.

GEHZEITEN
Von Scharnitz zur Pleisenhütte 3 Std., weiter zum Gipfel 2 Std., Abstieg bis Scharnitz 4 bis 4½ Std., Gesamtzeit: 9 bis 10 Std.

SCHWIERIGKEIT
Bis zur Hütte großenteils Fahrweg, Gipfelanstieg markierter alpiner Wanderweg ohne Schwierigkeiten. Im oberen Teil stark der Sonne ausgesetzt. Ausreichend Trinkvorrat mitnehmen.

HÜTTEN/EINKEHR
Pleisenhütte, 1757 m (privat, über die Wochenenden ganzjährig bewirtschaftet, 25 Plätze).

KARTE
Alpenvereinskarte 1:25 000 „Karwendelgebirge“, Westliches Blatt. Amtliche österreichische Karte 1:50 000 des Bundesamtes für Eich- und Vermessungswesen, Sonderblatt „Karwendel“.

Karwendeltouren jenseits der Randketten des Gebirges haben eines gemeinsam: sie sind mit „Anläufen“ verbunden, die nicht selten allein schon Tagestouren gleichkommen. Gehen Sie doch einmal übers Karwendelhaus auf die Birkkarspitze oder durchs Roßloch auf die Laliderer Wand! In den meisten Fällen spielt sich der lange Marsch auf einer Forststraße ab; wenig anstrengend zwar, aber dafür monoton wie eine gerade Linie. Natürlich finden Sie auch solche Wanderungen im vorliegenden Buch, und für passionierte Fußgänger sind diese ja auch durchaus nicht abschreckend – im Gegenteil!
Wenn Ihnen aber nach einer kürzeren Tour sein sollte, vielleicht nach einer Tagestour, vielleicht sogar per Bahn von München aus, wenn Ihnen der benachbarte Mittenwalder Höhenweg schon bekannt und zu überlaufen sein sollte – dann ist die Pleisenspitze ideal. Zwar ist auch sie ein Randgipfel, doch befindet sie sich immerhin im Karwendelhauptkamm (dessen westlichste Säule sie bildet), und sie überragt beispielsweise die bekannte Westliche Karwendelspitze gleich gegenüber um mehr als 200 Meter.
Wenn Sie die Tour auf ein Wochenende ausdehnen wollen – kein Problem, bleiben Sie auf der Pleisenhütte. Nicht daß die Pleisenspitze ohne diesen Stützpunkt unerreichbar wäre, doch geht wohl mancher auch ein wenig wegen des Hüttenwirtes hinauf. Der „Pleisen-Toni“ ist ein alpenländisches Original und in Tirol und Bayern weithin bekannt.
Weder die Wegfindung noch der Aufstieg selbst stellen unzumutbare Anforderungen: In Scharnitz biegen wir bei der Kirche ins Hinterautal – das Tal der Isar übrigens – ein. Vom Parkplatz folgen wir entweder der Straße Richtung Karwendelhaus oder jener Richtung Pfeishütte. Im ersten Fall müssen wir nach knapp 3 Kilometer rechts abzweigend den Karwendelbach überschreiten und zum Fahrweg zur Pleisenhütte hochsteigen. Im zweiten Fall biegen wir vor dem Schönwieshof direkt auf diesen Fahrweg von der „Hauptstraße“ ab. Der weitere Anstieg verläuft bis zur Hütte im Wald und ist klar vorgegeben. In aussichtsreicher Lage plaziert, bietet die Pleisenhütte besonders schöne Aus-

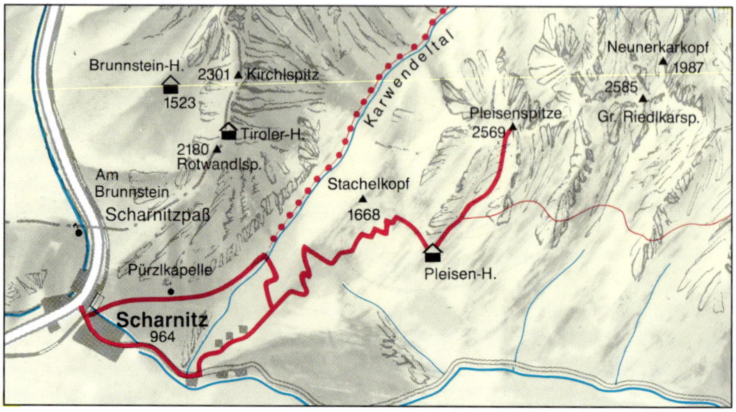

blicke auf die wilden Nordabstürze der Gleierschkette. Der Weiterweg zum Gipfel bewegt sich zunächst durch Latschengassen und führt dann auf den Hinteren Pleisengrat, einen relativ sanften Rücken, der zum höchsten Punkt leitet. Damit sind allerdings auch die Wandermöglichkeiten weitgehend erschöpft. Es gibt keine andere Abstiegsmöglichkeit vom Gipfel und auch von der Hütte, wenn man von einem Steig absieht, der oberhalb der Hütte beginnt und durchs Hinterkar und über die Breitgrießkar-Scharte ins Marxenkar, zum Brendelsteig und ins Schlauchkar führt. Doch diese zwar markierte, aber ausgedehnte Tour führt schon in „freie Karwendel-Wildbahn" und ist von anderem Kaliber als die brave Pleisenspitze.

Die Pleisenspitze ist übrigens im Winter eine vielbegangene und aufgrund ihrer Gutmütigkeit auch für Anfänger geeignete Skitour.

Eine Wanderung auf die Pleisenspitze hat zuallererst den Vorteil, daß man sich die so berüchtigten Talhatscher – für die das Karwendel „berühmt" ist – erspart. Und man gewinnt eine beachtliche Höhe: 1600 Meter erhebt sich der Gipfel über Scharnitz. Mancher jedoch hat gar keine Gipfelambitionen und bleibt bei der gemütlichen Pleisenhütte sitzen. Vielleicht kommt er auch mit dem Hüttenwirt, dem Pleisen-Toni, ins Gespräch und läßt sich einige Karwendelabenteuer erzählen.

41 MITTENWALDER HÖHENWEG

Ausdauer, Trittsicherheit und Schwindelfreiheit nötig

GIPFEL
Westliche Karwendelspitze, 2384 m.

TALORT
Mittenwald, 912 m.

AUSGANGSPUNKT
Karwendelbahn-Bergstation, 2243 m.

ANFAHRT
a) mit dem Auto: Garmischer Autobahn bis Eschenlohe, dann über Garmisch nach Mittenwald, Ausfahrt „Karwendelbahn" an der Umgehungsstraße Richtung Innsbruck.
b) mit Bahn/Bus: Bahnlinie München – Garmisch – Mittenwald. Vom Bahnhof zu Fuß zur Talstation der Bergbahn.

GEHZEITEN
Von der Bergstation auf dem Höhenweg zur Tiroler Hütte 4 Std.; von der Hütte weiter zur Brunnsteinspitze und zurück ¾ Std. Abstieg von der Tiroler Hütte zur Brunnsteinhütte 1 Std., und von der Brunnsteinhütte hinab zur Talstation der Karwendelbahn 1½ Std. Gesamtgehzeit: 7 bis 8 Std.

SCHWIERIGKEIT
Die Gratüberschreitung des Mittenwalder Höhenwegs hat Klettersteigcharakter, ist sehr ausgesetzt und bei Wettersturz gefährlich. Der Steig von der Tiroler Hütte zur Brunnsteinspitze bietet, wie auch der Abstieg zur Brunnsteinhütte, keine größeren Schwierigkeiten (bei letzterem ist an einigen drahtseilgesicherten Stellen Vorsicht geboten). Der Abstieg von der Brunnsteinhütte ins Tal vollzieht sich auf unschwierigem Waldweg.

HÜTTEN/EINKEHR
Karwendelbahn-Bergstation/Restaurant; Tiroler Hütte, 2153 m (in der Regel geschlossen, keine Bewirtschaftung); Brunnsteinhütte, 1560 m (AV-Hütte, Mitte Mai bis Mitte Oktober bewirtschaftet, 25 Lager, 10 Notlager).

KARTE
Alpenvereinskarte 1:25 000 „Karwendelgebirge" Westliches Blatt.

Das felsige Bergmassiv, das sich eindrucksvoll über Mittenwald erhebt, bildet die westliche Begrenzung des Karwendelgebirges. Ein langer, exponierter, zum Teil gesicherter Grat verbindet die Westliche Karwendelspitze mit der Brunnsteinspitze: der Mittenwalder Höhenweg. Wobei das Wort Weg die Schwierigkeiten untertreibt. Das Gelände ist alpin, die Tour erfordert Klettersteigerfahrung. Der Anfang der 70er Jahre installierte „Eisenweg" wurde mit 1500 Meter Drahtseil, zahlreichen Eisenleitern und Holzstegen ausgestattet! Für den Liebhaber solcher extremen „Wege" also eine Herausforderung par excellence.
Die Karwendelbahn bringt hinauf auf über 2000 Meter Höhe. Das weite Becken, über dem sich der Gipfelaufbau der Westlichen Karwendelspitze erhebt, ist Ausgangspunkt für den anspruchsvollen, sehr dem Wetter ausgesetzten Mittenwalder Höhenweg. Für den sportlich weniger Ehrgeizigen mag es der Rundweg um die Karwendelgrube mit halbstündigem Aufstieg zur Westlichen Karwendelspitze tun. Die Aussicht, die wir von hier oben genießen können, gehört zum Besten, was man in den Nördlichen Kalkalpen genießen kann.
Von der Bergstation führt der ausgeschilderte Weg zuerst zum südlichsten und zugleich höchsten Punkt des Rundweges um die Karwendelgrube. Am bayerisch-österreichischen Grenzstein beginnt

Auf dem gesamten Mittenwalder Höhenweg tun sich phantastische Ausblicke auf die Gipfel der Zentralalpen, das Karwendel und das Wettersteingebirge auf.

dann der eigentliche Steig, bald in Kehren ansteigend, zur 2374 Meter hohen Nördlichen Linderspitze. Absteigend wird der Heinrich-Noe-Weg erreicht, der sich nach rechts zur Brunnsteinhütte wendet. Doch noch wäre es zu früh, den Grat zu verlassen.

In stetem Auf und Ab werden in anregender Klettersteigmanier die Südliche Linderspitze, Sulzeklammspitze und die Kirchlspitze überschritten bzw. in Gipfelnähe traversiert. Die Wegführung ist nicht zu verfehlen; die Markierung ist gut, und wo das Gelände Schwierigkeiten aufweist, zeigen Drahtseile, Leitern und Stege, wo es langgeht.

Nach Erreichen der Kirchlspitze sind die Hauptschwierigkeiten überwunden. Auf schrofendurchsetzten Schafweiden steigt man hinunter zur winzigen Tiroler Hütte, die in 2153 Metern Höhe ein arg zugiges Plätzchen gefunden hat.

Hier könnte man den Mittenwalder Höhenweg ausklingen lassen und nur noch westlich über viele Serpentinen hinuntersteigen zur Brunnsteinhütte (1560 m) und weiter auf reizvollen Waldwegen zurück nach Mittenwald.

Doch vorher sollte man mit einer halben Stunde nicht geizen, sollte von der Tiroler Hütte hinaufsteigen zum südlichen Eckpfeiler des Bergzuges, der Brunnsteinspitze, zugleich dem herrlichsten Aussichtsberg der gesamten langen, schönen Tour.

Grandios die Einblicke ins Karwendelgebirge, das von drei tief eingeschnittenen Tälern durchzogen ist. Im Süden die Zentralalpen, Stubaier und Ötztaler Alpen; im Westen das Wettersteingebirge und tief, tief drunter Scharnitz und das Bett der jungen Isar.

Vom Arnspitz-Aufstieg überblickt man die gesamte Gipfelreihe, die bei der anspruchsvollen Wanderung auf dem Mittenwalder Höhenweg überschritten wird.

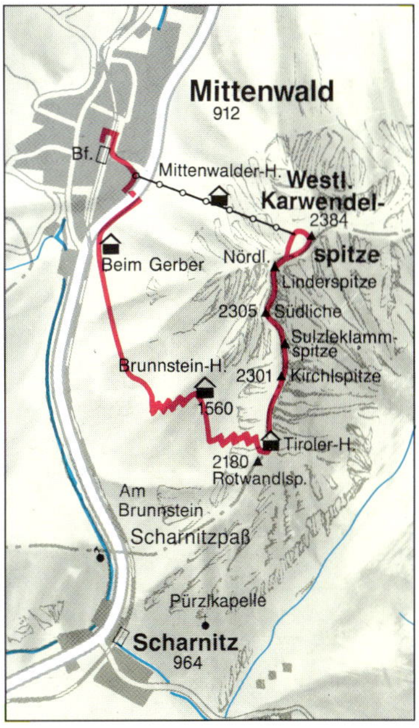

42 SCHAFREUTER

Klassisches Tourenziel im Vorkarwendel

GIPFEL
Schafreuter, 2101 m.

TALORT
Vorderriß, 782 m.

AUSGANGSPUNKT
Parkplatz an der Einmündung des Leckbaches, direkt an der Straße im Rißbachtal, etwa 9 km nach der Grenzübergangsstelle Vorderriß.

ANFAHRT
a) mit dem Auto: Über Holzkirchen oder Penzberg (jeweils Autobahnausfahrt) nach Bad Tölz und weiter nach Lenggries - Sylvensteinsee - Vorderriß, Richtung Hinterriß/Eng.
b) mit Bahn/Bus: Per Bahn nach Bad Tölz bzw. Lenggries und mit RVO-Bus Richtung Hinterrriß/Eng (nur im Sommer von Ende Mai bis Ende September).

GEHZEITEN
Vom Parkplatz im Rißbachtal zur Tölzer Hütte 3 Std., Gipfelaufstieg 1 Std., Rückkehr zur Tölzer Hütte ¾ Std. Weitere Gehzeiten je nach Routenwahl, z. B. Tölzer Hütte - Stierjoch - Lerchkogelalm - Fall 5 Std., Tölzer Hütte - Fleischbank - Grasbergalm - Rißtal 5 Std.

SCHWIERIGKEIT
Markierte Bergwanderwege ohne besondere Schwierigkeiten. Der Anstieg aus dem Rißbachtal ist jedoch steil.

HÜTTEN/EINKEHR
Tölzer Hütte, 1835 m (AV-Hütte, 95 Plätze, bewirtschaftet von Ende Juni bis Ende Oktober, ansonsten Winterraum mit AV-Schloß).

KARTE
Topographische Karte 1:50 000, Sonderblatt „Karwendelgebirge - Werdenfelser Land".

Obwohl es nach offizieller Kartographie gar kein „Vorkarwendel" gibt, ist dieser Name unter Bergfreunden bestens eingeführt. Nicht zuletzt beweist er wiederum, daß der Mittelpunkt der alpinen Welt in München liegt, denn etwa vom Inntal aus betrachtet müßte das Gebiet „Hinterkarwendel" heißen.

Aus der Sicht der Bergsteiger ist die Unterscheidung zwischen Vorkarwendel und Karwendelgebirge berechtigt, denn beide sind von Charakter und bergsteigerischen Möglichkeiten her grundverschieden. Das Karwendel selbst läßt sich zwar auch sehr schön erwandern, doch bleiben seine Wege meist in den breiten Tälern. Will man höher hinaus, so ist dies in der Regel mit gewissen Anforderungen verbunden, sei es, daß man versicherte Steige begehen, alpines Gelände überwinden oder gesteigerten Schweißtribut entrichten muß. Das Vorkarwendel wiederum ist viel weniger spektakulär und gilt als ausgesprochenes Wander- und Skitourengebiet. Es besteht überwiegend aus grasigen Buckeln, die sich auf sehr vielen verschiedenen Wanderwegen ersteigen und überschreiten lassen. Drei Höhenzüge, etwa in Dreiecksform angeordnet, lassen ebenso viele Höhenwege zu. Der Schafreuter, übrigens der zweithöchste Gipfel des Vorkarwendels, liegt genau dort, wo der nördliche und der südliche dieser drei Höhenzüge zusammenlaufen. Es bietet sich deshalb geradezu an, nach der

Die Karwendelvorberge sind bis heute einsames Terrain geblieben; die Tour auf den Schafreuter macht jedoch eine Ausnahme, ja sie ist geradezu ein Tourenklassiker geworden. Grund dafür dürfte nicht nur die hervorragende Aussicht sein, die sich vom Gipfel bietet, sondern auch die Tölzer Hütte, die einzige bewirtschaftete Bergsteigerunterkunft des Vorkarwendels.

Besteigung dieses Berges – eine Sache von zwei Stunden von der Tölzer Hütte aus (die wir auf Bergsteig aus dem Rißbachtal in gut 3 Stunden erreichen) – auf dieser zu übernachten und am darauffolgenden Tag einen der Höhenwege zu begehen. Besonders empfehlenswert dürfte dabei der über den südlichen Rücken sein, der seinen Reiz aus dem Gegensatz von waldigen Mugeln im Norden und mächtigen Felsriesen im Süden gewinnt. Zum unschwierigen Charakter des Weges kommt noch der weitere Vorteil, daß dieser an mehreren Stellen abgebrochen werden kann, die Tourenlänge sich also ganz nach Lust und Laune gestalten läßt. Wir wandern dabei von der Tölzer Hütte zunächst südseitig um das Baumgartenjoch bis zur gleichnamigen Alm und dann die Fleischbank nordseitig bis ins Hölzelstaljoch. Es besteht auch die Möglichkeit, den Gipfel zu überschreiten; das ist schöner und ein wenig anspruchsvoller. Wieder auf der Südseite, wird das Grasbergjoch umgangen und in einem viertelstündigen Abstecher vom Weg mitgenommen. Nun bleibt nur noch der lange Abstieg über Wiesen zur Grasbergalm. Hier wird man in der Regel ins Rißbachtal absteigen, doch können wir auch noch auf den Kompar oder gar zur Plumsjochhütte weiterwandern und noch einen Tag „oben bleiben". Am Sonntagnachmittag nimmt uns sicher eines der vielen Autos, die aus der Eng kommen, zu unserem immerhin 7 km entfernten Parkplatz mit. Sind wir nicht ans Auto gebunden, können wir natürlich ebensogut einen anderen Abstiegsweg wählen, etwa über den Delpssee, das Stierjoch, die Lerchkogelalm und das Dürrachtal nach Fall oder über das Grasköpfl und den Grammersberg hinaus nach Fall.

Blick von der Fleischbank über das Baumgartental auf den Schafreuter. Links im Vordergrund das Schönalmjoch. Im Hintergrund erkennen wir die Benediktenwandgruppe.

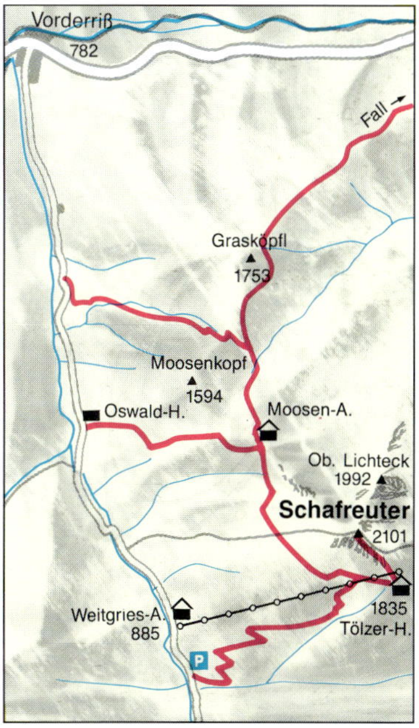

43 BRAUNECK

Bequemer Aufstieg, leichter Abstieg

GIPFEL
Brauneck, 1555m.

TALORT
Lenggries, 679 m.
AUSGANGSPUNKT
Talstation der Brauneckbahn.

ANFAHRT
a) mit dem Auto: Salzburger Autobahn bis zur Ausfahrt Holzkirchen, dann in den Ort Holzkirchen und weiter auf der Landstraße über Großhartpenning und Sachsenkam nach Bad Tölz; von dort weiter nach Lenggries, in Ortsmitte über die Isarbrücke zur Talstation. Dort großer Parkplatz.
b) mit derBahn: Von München direkt bis zum Endbahnhof Lenggries, von dort in 20 Minuten zu Fuß zur Talstation der Brauneckbahn.

GEHZEITEN
Falls wir die Bergbahn verschmähen, 2½ Std. bis zur Bergstation bzw. zum Brauneckhaus etwas oberhalb; Höhenwanderung vom Brauneckhaus zur Propstalm 1½ Std., Abstieg über die Längentalalm 2½ Std. Gesamtgehzeit: 6½ Std.

SCHWIERIGKEIT
Von der Talstation bis zur Reiseralm Fahrweg, dann Bergsteig bis zur Brauneckhütte. Der Höhenweg über Kirchstein und Latschenkopf zur Propstalm ist gut ausgebaut. Der Abstieg bis kurz hinter die Längentalalm erfolgt wieder auf Bergsteig, dann bis ins Tal überwiegend auf Forstweg.

HÜTTEN/EINKEHR
Reiseralm, 900 m (ganzjährig bewirtschaftete Berggaststätte, 8 Betten, 20 Lager); Brauneckhaus, 1540 m (AV-Hütte, ganzjährig bewirtschaftet, jedoch im November sowie Mitte April bis Mitte Mai geschlossen, 22 Betten, 46 Lager). Hintere Längentalalm

KARTE
Topographische Karte 1:50 000. Sonderblatt „Bad Tölz – Lenggries und Umgebung“ (BLVA).

Bei Generationen von Bergfreunden ist das Brauneck bei Lenggries als Ausflugsziel bekannt und beliebt. Die Gondelbahn bringt bequem hinauf (falls man nicht den Fußweg über die Reiseralm vorzieht), wo es sich im Sommer trefflich wandern läßt, wo im Winter beste Pisten den Skifahrer erwarten. Ein langer Gratübergang zur Benediktenwand könnte gemacht werden – doch dieser Bergtag soll eher beschaulich sein. Wandern bergab. Aus der Gipfelregion der Bayerischen Voralpen hinab über Almweiden zurück ins Tal der Isar.
Vom Brauneck folgt man der Beschilderung Richtung Benediktenwand und Tutzinger Hütte (H4). Der Weg hält sich westlich, windet sich sodann in einigen Kehren empor zum felsigen Schrödelstein, der südseitig passiert wird. Gleich danach münden Wege ein: links herauf von der Bayernhütte, rechts der Steig, der von Lenggries kommt. Man wandert nun auf dem schmalen Höhenweg weiter – der übrigens hier identisch ist mit dem Europäischen Fernwanderweg E 4 – und überschreitet das Stangeneck und den Vorderen Kirchstein. Schon in diesem Teilstück spürt man einen kleinen Vorgeschmack von der Exponiertheit des Gratweges, der weiter zur Benediktenwand führt. Ein leichter Gegenanstieg führt zuletzt noch hinauf zum Latschenkopf, der mit 1712 Metern die höchste Erhebung zwischen Brauneck und Benediktenwand bildet. Von dort hinab in den Propstalmsattel, wo zahlreiche Wegweiser Orientierung bieten. Rechts nun hinab ins Längental. Nach der Propstalm wird das Tal enger und am Bach entlang erreicht man die Hintere Längentalalm. Auf dem Fahrweg ein kurzes Stück talwärts, bis rechts ein Schild zur Talstation der Brauneckbahn weist. Zunächst über feuchte Wiesen, dann durch Wald in leichtem Auf und Ab Richtung Osten. Wo man auf die Forststraße trifft, kurz rechts hinauf, dann links weiter und nochmal rechts haltend durch Wald hinüber zum Fahrweg, der zur Reiseralm führt. Dort links hinab zur Talstation der Brauneckbahn.

Das ganzjährig bewirtschaftete Brauneckhaus knapp unterhalb des Gipfels.

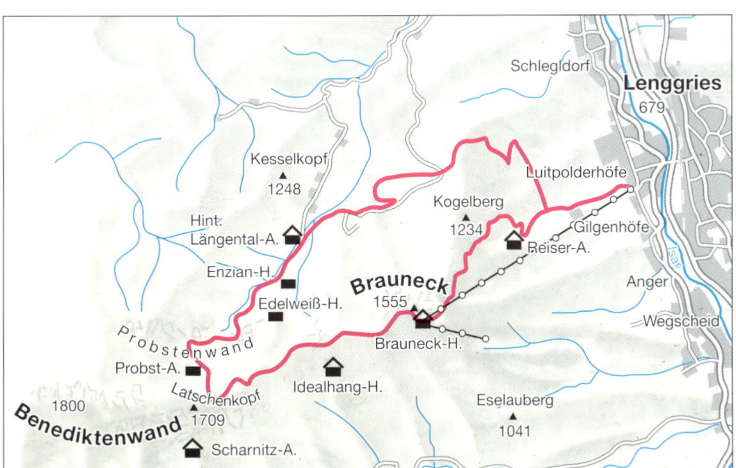

Der kammartige, abgeflachte Gipfel des Braunecks ist idealer Startplatz für Drachenflieger und Gleitschirmpiloten. Die Abstiegsrunde über das Hintere Längental beginnt hier und folgt zunächst dem Kammverlauf in Richtung Süden, bevor er nach rechts in Richtung Tal abbiegt.

44 BENEDIKTENWAND

Gipfelrunde an einem alpinen Vorberg

GIPFEL
Benediktenwand, 1801 m.

TALORT
Benediktbeuern, 617 m.

AUSGANGSPUNKT
Benediktbeuern, Ortsteil Gschwendt, Kapelle Mariabrunn. Beschilderung im Ort.

ANFAHRT
a) mit dem Auto: Auf der Autobahn München – Garmisch, bis zur Ausfahrt Sindelsdorf, dann weiter 8 km nach Bichl – Benediktbeuern.
b) mit Bahn/Bus: Bahnlinie München – Kochel, bis zum Bahnhof Benediktbeuern.

GEHZEIT
Von Gschwendt zur Tutzinger Hütte 2½ Std.; weiter über den Ostanstieg zur Benediktenwand 1½ Std. Für den Westabstieg zurück zur Hütte 1 Std.; von der Hütte nach Gschwendt 2 Std. Gesamtgehzeit: etwa 7 Std. (1 Std. mehr, wenn der Benediktbeurer Bahnhof der Ausgangspunkt ist).

SCHWIERIGKEIT
Der Aufstieg zur Hütte ist eine leichte Bergwanderung. Der Weiterweg über den Ostanstieg ist zum Teil ausgesetzt, das Felsgelände glatt. Stellenweise Drahtseilsicherung. Der Westabstieg ist für trittsichere Wanderer problemlos zu begehen.

HÜTTEN/EINKEHR
Tutzinger Hütte, 1327 m (AV-Hütte, von Ende April bis Anfang November, um Neujahr und an Ostern bewirtschaftet, 24 Betten, 116 Lager); Gipfel-Unterstandshütte, 1800 m (offene Unterstandshütte, keine Bewirtschaftung).

KARTE
Topographische Karte 1:50 000, Sonderblatt „Bad Tölz – Lenggries und Umgebung" (BLVA).

Die Benediktenwand, die sich mit schroffer Nordwand über dem westlichen Bayerischen Voralpenland erhebt, ist mit 1801 Metern Höhe schwer einzuordnen: noch nicht hochalpin, aber auch längst nicht mehr voralpengemäß gemütlich. Eine ernstzunehmende Bergtour allemal. Dabei lohnt sich der lange Weg allein schon wegen des umfassenden Bergpanoramas und der Talschau ins Kulturland des Pfaffenwinkels.

Vom Bahnhof Benediktbeuern ist es eine halbe Stunde Ortsbummel zum Beginn des eigentlichen Wanderweges bei der Kapelle Mariabrunn. Nun geht es gemächlich dem Lainbach entlang talein; ein Forstweg führt bis zur Söldneralm. Nach einem steilen Wegstück setzt sich der markierte Forstweg bequemer fort; er endet bei der kleinen Materialseilbahnstation, mit der die Tutzinger Hütte versorgt wird. Ein Waldsteig führt in Serpentinen hinauf zur Hütte, gelegen in feuchten Wiesengründen am Fuß der Benediktenwand-Nordwand.

Bei einer Hüttenrast läßt sich der weitere Wegverlauf gut studieren: Die Nordwand wird auf dem Ostanstieg umgangen; von der Tutzinger Hütte führt der Steig östlich hinauf zum Rotohrsattel. Hier wendet er nach Westen und führt, zum Teil exponiert und drahtseilgesichert, immer in Kammnähe zum Gipfel. Wer die Augen offenhält, kann entlang dieses Weges die kaum noch scheuen Steinböcke beobachten, die hier vor Jahrzehnten angesiedelt worden sind.

Für den Abstieg empfiehlt sich der Westweg. Ein markierter Steig führt westwärts dem Bergkamm folgend bergab; die Schwierigkeiten sind geringer als am Aufstiegsweg. Bei einer Weggabelung (links geht es zur Glaswandscharte, nach Pessenbach und in Richtung Kochel) hält man sich rechts, gelangt wieder unter die Nordwand der Benediktenwand und zurück zur Tutzinger Hütte.

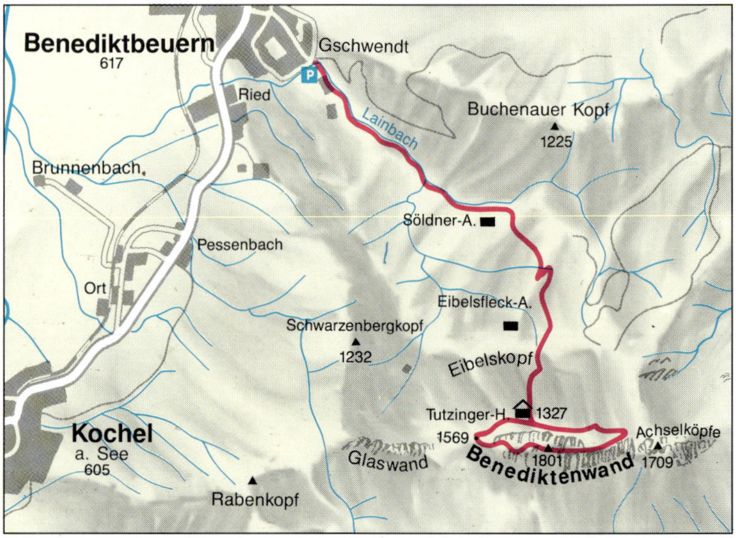

Von hier ab sollte man auf dem Anstiegsweg zurückwandern. Denn eine „Benewand"-Tour klingt nirgends so beschaulich aus wie beim Hinauswandern im Lainbachtal. Da kann man den Tag noch einmal Revue passieren lassen, die Ausblicke vom Gipfel noch einmal wachrufen, und nachdenken über das, was eine Sage erzählt: Daß nämlich Pontius Pilatus auf seiner Flucht aus dem heiligen Land zur Benediktenwand gekommen sei und sich beim Anblick der im Licht glitzernden Isar derart an das Kreuz Christi gemahnt sah, daß er sich über die Felsen der Nordwand hinunterstürzte. Seither, so heißt es, soll Pilatus griesgrämig in der Benediktenwand hocken.
Falls wir jedoch viel Zeit haben, bietet sich die Überschreitung zum Brauneck an. Ein abwechslungsreicher, markierter Gratweg offeriert uns 4 Stunden Gehzeit mit Aussicht pur.

Felsaurikeln und Gipfelkreuz auf dem höchsten Punkt der Benediktenwand. Dort gibt es viel Platz. Und der wird auch gebraucht. An schönen Tagen tummeln sich hier die Bergwanderer en masse. Wenn an schönen Herbsttagen die Täler mit Nebel gefüllt sind und die sich darüber erhebenden Bergspitzen in der Sonne blinken, weiß so mancher diese Schaukanzel zu schätzen.

45 HERZOGSTAND UND HEIMGARTEN

Berg-Klassiker über dem Kochelsee

GIPFEL
Herzogstand, 1731 m.
Heimgarten, 1790 m.

TALORTE
Kochel, 605 m.
Ohlstadt, 664 m.

AUSGANGSPUNKT
Kesselberg-Paßhöhe, 850 m.

ANFAHRT
a) mit dem Auto: Auf der Autobahn München – Garmisch bis zur Ausfahrt Murnau, dann über Kochel zur Kesselberg-Paßhöhe (Parkplätze).
b) mit Bahn/Bus: Bahnlinie München – Kochel; von dort RVO-Bus zum Ausgangspunkt bei der Haltestelle Urfeld.

GEHZEITEN
Vom Kesselberg zu den Herzogstandhäusern 2 Std.; weiter zum Herzogstandgipfel ½ Std. Die Überschreitung vom Herzogstand zum Heimgarten erfordert 1½ Std., der Abstieg nach Ohlstadt bzw. nach Walchensee 2 Std. Gesamtgehzeit: etwa 6 Std.

SCHWIERIGKEIT
Die Anstieg zu den Herzogstandhäusern ist eine leichte Bergwanderung. Für die Überschreitung zum Heimgarten sind Trittsicherheit und Schwindelfreiheit vonnöten. Die Abstiege nach Ohlstadt bzw. nach Walchensee auf Berg- und Waldwegen weisen keine nennenswerten Schwierigkeiten auf.

HÜTTEN/EINKEHR
Herzogstandhäuser, 1575 m (ganzjährig bewirtschaftet, 24 Betten, 39 Lager); Heimgartenhütte, 1780 m (in den Sommermonaten einfache Bewirtschaftung, keine Übernachtung).

KARTE
Topographische Karte 1:50 000, Sonderblatt „Bad Tölz – Lenggries und Umgebung" (BLVA).

Die Kammwanderung über Herzogstand und Heimgarten gehört zu den Standardunternehmungen in den Bayerischen Voralpen. Üblicherweise beginnt man die Tour an der Kesselbergstraße, die Kochelsee und Walchensee verbindet. Im Bild der Anstieg über den Reitweg bei der Schlehdorfer Alm.

Südlich des oberbayerischen Seengebietes (Starnberger See, Osterseen, Kochelsee) breitet sich ein besonders auffälliger Bergzug hin: Herzogstand und Heimgarten, verbunden durch einen langen Grat. Die Überschreitung der beiden Gipfel ist bei schwindelfreien Bergwanderern ein Evergreen.

Man sollte mit der Bahn anreisen. Von München nach Kochel. Dort umsteigen in den Bus und sich hinaufbringen lassen zur Paßhöhe des Kesselbergs. Da beginnt der Weg. Lang und breit zu den Herzogstandhäusern. Die erste Stunde ist ein wenig monoton. Aber wenn dann der Wald sich lichtet, beginnt der Tag zu leben.

Auf breitem Ziehweg steigt man unter den Nordostabbrüchen des Herzogstands hinauf zu den Häusern (1575 m). Rast machen, wo sich 1865 König Max von Bayern eine Jagdhütte errichten, wo Ludwig II. ein für ihn ungewöhnlich schlichtes „Königshaus" hinstellen ließ. Dann geht es nordwestlich hinüber und in einigen Kehren hinauf zum Gipfelpavillon des Herzogstands (1731 m).

Es wäre das schon ein Tour für sich, und wer es gemütlicher angehen lassen will, geht jetzt zurück zu den Häusern und dann vielleicht südseitig hinunter zum Walchensee.

Aber reizvoll ist der Grat hinüber zum Heimgarten. Und mit ein wenig Vorsicht ist er genußvoll zu begehen. Zur einen Seite der Kochelsee mit dem weiten Alpenvorland, zur anderen der Walchensee mit den dahinter sich aufbauenden Karwendelbergen. Zuletzt führt der Steig über einen steilen Hang hinauf zum Gipfel des Heimgartens (1790 m) und zum wenige Meter tiefer gelegenen Hüttchen.

Hier wird manch einer wünschen, die Zeit bliebe stehen. Aber der Weg nordwestlich hinab zur Bärenfleckhütte und hinaus nach Ohlstadt ist noch ein gutes Stück weit. Zugegeben: Lang ist diese Voralpentour. Aber dafür setzt man sich in Ohlstadt dann in den Zug Richtung München, träumt in den Tag zurück und pfeift auf den Verkehr.

46 KROTTENKOPF

Zum höchstgelegenen Berghaus in den Voralpen

GIPFEL
Krottenkopf, 2086 m.

TALORT
Oberau, 659 m.

AUSGANGSPUNKT
Bahnhof von Oberau.

ANFAHRT
a) mit dem Auto: Auf der Garmischer Autobahn bis zu deren Ende in Eschenlohe, dann auf der Landstraße weiter bis zum Bahnhof in Oberau. Dort über die Gleise und rechts vor zur Loisachbrücke. Über diese und jenseits links zum Parkplatz.
b) mit der Bahn: Bahnlinie München – Mittenwald – Innsbruck bis zur Haltestelle Oberau, kurz vor Garmisch.

GEHZEITEN
Der Aufstieg von Oberau zur Weilheimer Hütte verlangt uns 4 Std. ab; zum Gipfel des Krottenkopfs sind es dann allerdings nurmehr eine knappe halbe Stunde. Abstieg auf dem Anstiegsweg 2½ Std. Gesamtgehzeit: 7 Std.

SCHWIERIGKEIT
Der hier vorgestellte Bergweg weist keine nennenswerten Schwierigkeiten auf. Die Hauptanforderung an den Bergwanderer stellt die Länge der Tour dar (was allerdings durch eine Hüttenübernachtung kein Problem mehr ist). Lediglich die Abstiegsvariante über den Bischof erfordert Trittsicherheit und etwas Orientierungssinn, da die Route z.T. nur aus Pfadspuren besteht.

HÜTTEN/EINKEHR
Weilheimer Hütte (Krottenkopfhaus), 1946 m (AV-Hütte, von Mitte Mai bis Mitte Oktober bewirtschaftet, 11 Betten, 75 Lager).

KARTE
Topographische Karte 1:50 000, Sonderblatt „Karwendelgebirge – Werdenfelser Land" (BLVA).

Den prächtigen Nordflanken des Wettersteingebirges vorgelagert, bietet das Estergebirge – ein kleiner Gebirgsstock von 12 Kilometern Länge und 10 Kilometern Breite – interessante, lohnende und oft auch ziemlich stille Wanderungen für ausdauernde Geher. Der Krottenkopf ist mit 2086 Metern nicht nur der höchste Berg dieses kleinen Gebirges, sondern sogar der gesamten Bayerischen Voralpen. Und ein weiterer Superlativ ist zu erwähnen: Knapp unterhalb seines Gipfels steht das höchstgelegene Berghaus in den Bayerischen Voralpen, die Weilheimer Hütte. Neun Anstiege führen aus den Tälern hinauf, wobei acht von ihnen bei der Weilheimer Hütte enden. Neben dem beliebten Übergang vom gut besuchten Wank, gibt es lange, waldreiche Anstiege von der Krüner Seite sowie die Überschreitung des gesamten Stockes von Eschenlohe aus. Kürzester, steilster, aber auch schönster Anstieg ist der von Oberau im Loisachtal, den wir hier vorstellen wollen.
Drei weitere Zweitausender-Gipfel hat das Estergebirge aufzuweisen: Der Bischof, südlich dem Krottenkopf vorgelagert, ist zwar der niedrigste von allen, aber ganz sicher auch der formschönste. Falls wir beim Abstieg einen Abstecher in wenig erschlossenes alpines Gelände wagen wollen, sollten wir seine Überschreitung von Nord nach Süd versuchen. 500 Meter senkt sich seine Südostseite gegen das Finzbachtal ab und vermittelt von dieser Seite wie auch vom Krottenkopfgipfel einen recht alpinen Eindruck.
Vom Bahnhof in Oberau gehen wir zuerst ein kurzes Stück durch die Mauthstraße, überqueren die Gleise und gehen dann rechts zur Loisachbrücke, die wir überqueren. Bei der Weggabelung auf der anderen Seite des Flusses halten wir uns rechts und gehen weiter auf Feldweg den Röhrlbach entlang und erreichen nach etwa 20 Minuten den Bergfuß, wo links der Oberauer Steig beginnt. Nun hinein in den Wald und in kurzen Serpentinen auf gutem Weg immer steiler werdend hinauf zur Schafalm, die wir nach eineinviertel Stunden erreichen. Hier belohnt uns ein freier Blick auf das Wettersteingebirge. Noch eine knappe Gehstunde trennt uns von der Waldgrenze, die wir am Fuß des Frickenkars dann hinter uns lassen. Ein Stück durch dieses Hochtal aufwärts, bis sich der Weg nun bald Richtung Norden wendet. Durch ein Latschen-

feld – beim Wegweiser links halten – auf der Nordwestseite des Bischof weiter bis in den Sattel zwischen Henneneck und Bischof. Von dort auf der Südostseite des Karkopfes und des Oberen Rißkopfes nurmehr leicht ansteigend zur bald sichtbaren Weilheimer Hütte. Der Anstieg zum Krottenkopfgipfel ist dann nurmehr Formsache; ein bequemer Pfad leitet uns in einer halben Stunde hinauf.

Für den Abstieg benutzen wir den Anstiegsweg, haben jedoch die Möglichkeit, einen Abstecher über den Bischof einzuplanen. Wir gehen dazu ein Stück auf dem Anstiegsweg zurück und folgen dann dem unmarkierten Pfad, der unterhalb des Hennenecks links hinaufführt. Nach Überschreitung des Bischof hinab zum Sattel zwischen Hohem Fricken und Bischof, queren wir hinab zum Oberauer Steig und wandern weiter abwärts nach Oberau.

Die Weilheimer Hütte im Sattel zwischen Krottenkopf und Oberem Rißkopf ist nicht nur die höchstgelegene Bergsteigerunterkunft in den gesamten Bayerischen Voralpen, sondern auch deren älteste. Bereits 1884 hat der Alpenverein hier einen Stützpunkt errichtet. Neben dem Wankhaus, das 1911 erbaut wurde, blieb es bis heute die einzige Alpenvereinshütte im Estergebirge. In der rechten Bildhälfte der meistbestiegene und höchste Gipfel, der Krottenkopf; links der 30 Meter niedrigere Ostgipfel.

47 GROSSE ARNSPITZE

Überschreitung von Mittenwald nach Scharnitz

GIPFEL
Große Arnspitze, 2196 m.

TALORT
Mittenwald, 912 m.

AUSGANGSPUNKT
Isarbrücke am Südende des Orts; Weg zu Leutaschklamm und Gasthaus Am Gletscherschliff.

ANFAHRT
a) mit dem Auto: Über die Garmischer Autobahn bis Eschenlohe, dann auf der Landstraße weiter nach Mittenwald.
b) mit der Bahn: Bahnlinie München – Garmisch – Innsbruck, bis zum Bahnhof Mittenwald.

GEHZEITEN
Von Mittenwald bis zur Riedbergscharte 1½ Std., weiter zur Großen Arnspitze 2 Std; Abstieg nach Scharnitz 2½ Std. Gesamtgehzeit: etwa 6 Std.

SCHWIERIGKEIT
Lange Bergwanderung, die Trittsicherheit voraussetzt (Schrofen, schmale Steige, alpines Gelände, einige Stellen sind mit Drahtseilen gesichert).

HÜTTEN/EINKEHR
Unterwegs leider keine. Arnspitzhütte, 1955 m (offene Unterstandshütte, nicht bewirtschaftet).

KARTE
Topographische Karte 1:50 000, Sonderblatt „Karwendelgebirge – Werdenfelser Land" (BLVA).

Über Mittenwald, Scharnitz und dem Leutaschtal erhebt sich wie losgelöst von Wettersteingebirge und Karwendel die Arnspitzgruppe. Eine Besteigung des Hauptgipfels ist in zweierlei Hinsicht eine lohnende Sache: Die besondere Lage des Berges bringt eine gute Aussicht mit sich; zudem führt der Weg durch artenreiches Naturschutzgebiet. Vom südlichen Ortsrand Mittenwalds führt ein breiter Weg in Richtung Gasthaus „Am Gletscherschliff" – ein erstes Wegstück zum Warmwerden. Damit man gar nicht erst zu Rast und Einkehr verlockt sein kann, zweigt kurz vor dem Wirtshaus der markierte Steig zur Riedbergscharte ab – gut 300 Höhenmeter Waldwanderung, Einstimmung auf einen vielfältig interessanten Tag. Bei der Riedbergscharte mündet der aus der Leutasch heraufziehende Weg ein. Und das eindrucksvollste Wegstück beginnt. Ein schmaler, gut markierter Pfad führt durch Naturschutzgebiet (das pflanzenkundliche Handbuch sollte man unbedingt im Rucksack haben!) hinauf in die karge Gipfelregion. Eine lange, fast waagrechte Querung in schrofigem Gamsgelände endet bei der Arnspitzhütte – doch hier gibt's kein Bier und keine Brotzeit. Die verbleibenden 250 Meter zum Gipfel der Großen Arnspitze sind mit ein wenig Vorsicht durchaus zu genießen. Steil und an einigen Stellen mit Drahtseil gesichert, führt der Steig durch den felsigen Gipfelaufschwung zum Kreuz. Für den Abstieg bietet sich der Weg nach Scharnitz an. Von der Arnspitzhütte geht es steil zu Tal. Die Mulde der Hasellähne steht an Reiz dem Naturparadies am Aufstiegsweg in nichts nach, und der Blick auf die Ostflanke des Schwarzenkopfs, wo vor Jahrzehnten alle Flora einem Brand und der darauf folgenden Erosion zum Opfer fiel, ist von schauriger Schönheit. Bei der Porta Claudia, unweit der deutsch-österreichischen Grenze und unweit des Bahnhofs, findet dieses Bergtour in Scharnitz ihr Ende.

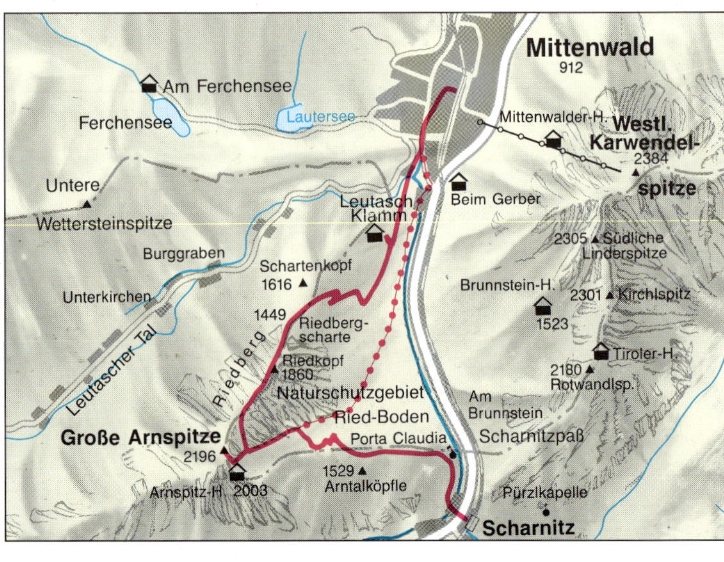

Die Arnspitzgruppe steht wie ein Wächter zwischen beiden großen Gebirgsstöcken, dem Wetterstein und dem Karwendel. Dementsprechend großartig ist der Panoramablick vom Gipfel der Großen Arnspitze auf beide Massive. Im Vordergrund die Arnplattenspitze mit dem markanten Gipfeltrapez; dahinter die massige Gestalt der Hohen Munde.

48

ALPSPITZE

Alpines Wahrzeichen von Garmisch-Partenkirchen

GIPFEL
Alpspitze, 2628 m.

TALORT
Garmisch-Partenkirchen, 707 m.

AUSGANGSPUNKT
Talstation der Osterfelderbahn im Ortsteil Garmisch. Beschilderung.

ANFAHRT
a) mit dem Auto: Garmischer Autobahn bis Eschenlohe, dann Landstraße nach Garmisch; im Ortsbereich den Beschilderungen folgen.
b) mit Bahn/Bus: Bahnlinie München – Garmisch; dann Bus zur Osterfelderbahn.

GEHZEITEN
Von der Bergstation der Osterfelderbahn über die „Via Ferrata“ auf den Alpspitzgipfel 1½ Std. Abstieg vom Gipfel zur Höllentalangerhütte 3 Std. Wanderung von der Hütte hinaus nach Hammersbach 1 bis 1½ Std. Gesamtgehzeit: etwa 6 Std.

SCHWIERIGKEIT
Aufstieg zum Gipfel der Alpspitze Klettersteig, der mit Klettersteigausrüstung begangen werden muß. Der Abstieg von der Alpspitze durchs Mathaisenkar zur Höllentalangerhütte vollzieht sich auf einer klettersteigartigen Weganlage, die alpinistische Erfahrung erfordert. Für einen Begeher sind daher Sicherheit im weglosen Gelände und Erfahrung im leichten Fels unabdingbar. Der Abstieg von der Hütte durch die Klamm nach Hammersbach ist dann abschließend eine leichte Wanderung.

HÜTTEN/EINKEHR
Osterfelderbahn-Bergstation, 2030 m (ganzjährig bewirtschaftet, keine Übernachtung); Höllentalangerhütte, 1387 m (AV-Hütte, von Anfang Juni bis Mitte Oktober bewirtschaftet, 90 Lager, 28 Notlager); Höllentaleingangshütte (wo der Hammersbach die Klamm verläßt), 1045 m (einfache Bewirtschaftung, keine Übernachtung).

KARTE
Alpenvereinskarte 1:25 000 „Wetterstein- und Mieminger Gebirge“, Mittleres Blatt.

Über dem Olympiaort Garmisch-Partenkirchen bauen sich eindrucksvoll die nördlichsten Wände des Wettersteins auf. Alpspitze, Zugspitze, Waxensteine. Die Zugspitze ist der höchste Berg – nicht nur hier, sondern in ganz Deutschland. Die Alpspitze ist um einiges niedriger, aber wohl eine der formschönsten Berggestalten im Bereich der Nördlichen Kalkalpen. Eine wohldimensionierte Felspyramide. Ein Gipfel, auf dem jeder Bergfreund gestanden sein will.
Bequemer könnte es gar nicht losgehen. Von Garmisch-Partenkirchen bringt einen die Osterfelderbahn in wenigen Minuten auf eine Höhe von 2030 Metern und an den Sockel des felsigen Alpspitzgipfels. Ganz hinauf sind es jetzt noch etwa 500 Höhenmeter – und die durchsteigt man auf der gesicherten „Via Ferrata“, einem Klettersteig, der keiner zusätzlichen Markierungen bedürfte: Drahtseile, Eisenstifte und Leitern weisen den Weg.
Dabei ist diese „Via Ferrata“ alles in allem ein leichter Klettersteig, bestens gesichert, von erfahrenen und schwindelfreien Berggehern gut zu schaffen. Freilich: Klettersteigausrüstung ist Voraussetzung. Also Gurt, Selbstsicherung, und auch ein Helm kann nicht schaden.
Was für den Aufstieg zur 2525 Meter hohen Alpspitze gilt, gilt für den Abstieg erst recht. Zunächst geht es südwestlich hinab zur Grieskarscharte zwischen Alpspitze und Hochblassen. Hier beginnt der Steig durchs Mathaisenkar, der hinunterführt zur Höllentalangerhütte. Auch dies ein Klettersteig. Und zwar kein bißchen leichter als die „Via Ferrata“. Eher anstrengender und aufgrund der wilden landschaftlichen Umgebung noch eindrucksvoller. Drahtseile und Markierungen wei-

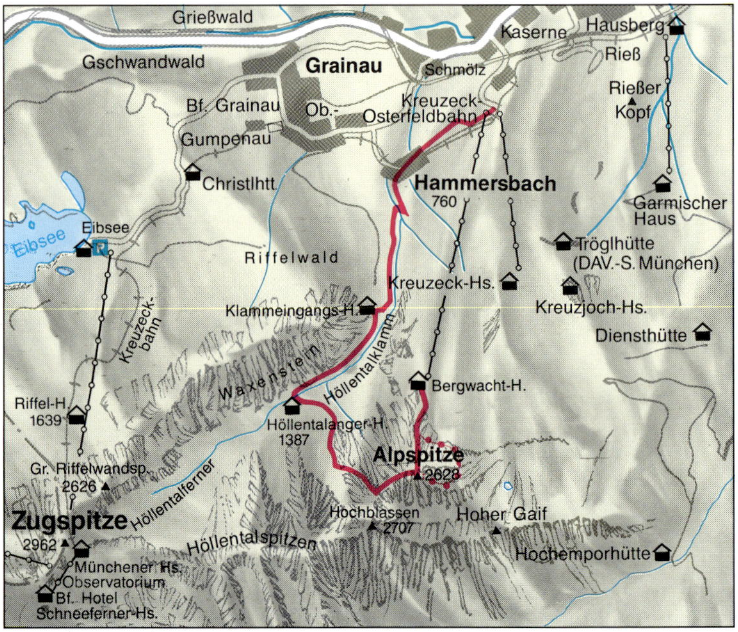

sen den Weg. Wo die Steiganlage Verschnaufpausen zuläßt, sollte man die Tiefblicke ins Höllental und die Einblicke in die Nordseite des Zugspitzmassivs genießen.
1200 Höhenmeter unter dem Gipfel der Alpspitze liegt die Höllentalangerhütte. Hier wird man eine Rast einlegen und im Angesicht des Höllentalsteiges zur Zugspitze in Erinnerungen schwelgen oder schon mal mit dem geistigen Auge begehen: Leiter, Brett, Gletscher, Irmerscharte – eindrucksvoll der Anstieg zu Deutschlands höchstem Berg.
Nach leiblicher und seelischer Stärkung kommt der grandiose Schluß der Tour: Durch die tosende Höllentalklamm wandert man hinunter nach Hammersbach, läßt man diesen doch fulminanten Bergtag ausklingen.
Mit der Zugspitzbahn fährt man zurück nach Garmisch-Partenkirchen.

Das ganzjährig bewirtschaftete Kreuzeckhaus gleich neben der Bergstation der Kreuzeckbahn. Das gut ausgestattete Haus gehört der Alpenvereinssektion Garmisch-Partenkirchen.

Links: Das Kreuzeck, oberhalb von Garmisch-Partenkirchen, bietet einige der schönsten Aussichtspunkte im Wettersteingebirge: Neben der Zugspitze mit dem Höllentalferner und den Waxensteinen ist sicherlich die steil aufragende Nordwand der Alpspitze mit ihrer charakteristischen Pyramidenform die beeindruckendste Ansicht. Das Kreuzeck, das mit Hilfe der Kreuzeckbahn in nur 10 Minuten Fahrzeit erreicht werden kann, ist Ausgangspunkt für Bergtouren auf den Höllentorkopf, den Blassengrat und die Alpspitze.

49 ZUGSPITZE

Wetterwarte und höchster Berg Deutschland

GIPFEL
Zugspitze, 2962 m.

TALORT
Garmisch-Partenkirchen, 707 m.

AUSGANGSPUNKT
Großer Parkplatz am Ortsrand von Hammersbach. Weg zur Höllentalklamm gut ausgeschildert.

ANFAHRT
a) mit dem Auto: Garmischer Autobahn bis Eschenlohe, dann zwischen Farchant und Garmisch rechts ab Richtung Griesen. Bald nach der westlichen Ortsgrenze zweigt links eine Straße nach Hammersbach ab.
b) mit Bahn/Bus: Mit der Bahn von München nach Garmisch; dann mit der Zugspitzbahn nach Hammersbach.

GEHZEITEN
Von Hammersbach zur Höllentalangerhütte 2 Std. Für den langen Gipfelanstieg von der Hütte zur Zugspitze 5 Std. Gesamtgehzeit: etwa 7 Std. Für den Abstieg bieten sich neben der hier vorgeschlagenen Seilbahnfahrt Wege durchs Reintal nach Garmisch (etwa 6 Std.) und über die Wiener-Neustädter-Hütte zum Eibsee (etwa 4 Std.) an.

SCHWIERIGKEIT
Lange, anspruchsvolle und ernste Bergtour. Leicht ist lediglich die Wanderung von Hammersbach durch die Klamm zur Höllentalangerhütte. Neben guter Kondition sind Klettersteigkenntnisse und umfassende alpine Erfahrung unabdingbar. Der Gletscher gilt zwar als leicht, aber auch er weist kleinere Spaltenzonen und eine Randkluft auf. Besondere Beachtung muß dem Wetter geschenkt werden: Gewitter sind extrem gefährlich, da ein Großteil der Route mit Drahtseilen gesichert ist.

Ein toller Weg führt hinauf; abwechslungsreich wie selten einer. Daß er am höchsten Punkt Deutschlands endet, darf ruhig zusätzlicher Anreiz sein. Bei einer Gipfelhöhe von knapp 3000 Metern (nur 38 Meter fehlen der Zugspitze zur magischen Grenze) sind die Ausblicke im Wortsinn überragend. Daß der Gipfel wegen der rabiaten Verbauungen aber auch „greislich" ist wie wenige andere, das muß man in Kauf nehmen. Und er ist ein Berg der Superlative und Sensationen: 200 Kilometer weit reicht der Blick von seinem Gipfel. Bereits in den 20er Jahren gab es Flugzeuglandungen und Segelflugstarts am Zugspitzplatt; eine sportliche Sensation war 1973 der erste Drachenflugstart eines Amerikaners; der Lastenträger Johann Erhardt bestieg die Zugspitze mehr als tausendmal; der Berglauf-Weltmeister Kurt Lauen bewältigte die Strecke Eibsee – Schneefernerhaus auf der Gleisstrecke der Zahnradbahn in 58 Minuten und dergleichen mehr …
Doch allein schon der hier vorgestellte Anstieg entschädigt für vieles. Ist er doch ein klassischer Bergweg in den deutschen Alpen und jedem, dem das Bergsteigen eine Leidenschaft ist, ein Muß. Denn man muß schon einmal hinaufgestiegen sein zur Zugspitze über „Leiterl" und „Brett", über den kleinen Gletscher und den schier endlosen Klettersteig, um spötteln zu dürfen über die Heerscharen der Seilbahn- und Zahnradbahntouristen. Also dann, auf geht's.
Die dreiviertel Wegstunde von Hammersbach zum Beginn der Höllentalklamm ist Eingehstrecke, Aufwach- und Aufwärmzeit für eine lange und landschaftlich wie bergsteigerisch großartige Tour zu Deutschlands höchstem Berg, der Zugspitze. Dann wartet mit der Klamm (Ge-

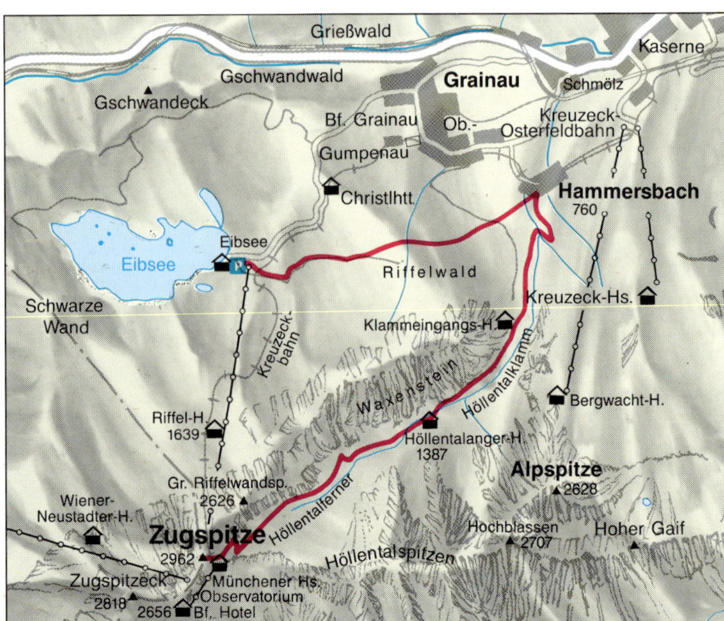

Die drei prominentesten Gipfel des Wettersteingebirges oberhalb von Garmisch-Partenkirchen aus gesehen: Alpspitze, Zugspitze und der Waxenstein (von links nach rechts).

Obgleich der Anstieg auf die Zugspitze durch das Höllental (hier im Bild) nur für Geübte zu empfehlen ist, ist er doch der sogenannte Normalweg. Der Anstieg durch das Reintal weiter östlich ist technisch weniger anspruchsvoll. Um den langen Anstieg durch das Höllental und über den Höllentalferner nicht zu einer Gewalttour ausarten zu lassen, empfiehlt es sich, auf der Höllentalangerhütte zu übernachten. Rechts oben erkennen wir das Hupfleitenjoch, etwas unterhalb davon die Knappenhäuser.

bühr; AV-Mitglieder frei) auch schon das erste Highlight auf: eine halbe Stunde Weg entlang des reißenden Hammersbaches, in düsteren Galerien, über umtoste Brückchen, unter stäubenden Wasserkaskaden hindurch. Es empfiehlt sich, für die Klamm Regenbekleidung anzulegen; auch kann eine Taschen- oder besser noch Stirnlampe nicht schaden. Nach zwei Wegstunden ab Hammersbach ist dann die Höllentalangerhütte erreicht, eine willkommene Raststätte nach dem Erlebten und vor den alpinistischen Schwierigkeiten.

Und letztere setzen auch fast unverzüglich ein. Nach Überqueren des licht bewaldeten Höllentalangers wird der erste Steilaufschwung erreicht: Eisenklammern im Fels, das „Leiterl", führen hinauf zu einer kühn exponierten Querung, dem „Brett", die auf Eisenstiften bewältigt wird. Sorgfältige Klettersteigsicherung ist hierbei unabdingbar. Vom Ende des Bretts führt der Steig über die Schuttmoräne auf den Höllentalgletscher. Pfadspuren führen zunächst in einem Linksbogen über den Gletscher, um dann, rechts haltend, wieder Felsgelände zu erreichen. Die Überwindung einer Randkluft kann dabei unter Umständen kleinere Probleme bereiten. Das Felsgelände aber ist dann gut mit Drahtseilen gesichert; unverfehlbar zieht sich der Klettersteig hinauf zur Irmerscharte und weiter zum Gipfelkreuz in 2963 Meter Höhe.

Der Blick in die Ferne ist grandios; der in die Nähe ein wenig deprimierend. Vorbei die Zeiten, da ein einsamer Wetterwart abgeschieden auf dem Zugspitzgipfel lebte.

Am 19. Juli 1900 wurde auf dem Gipfelplateau der Zugspitze eine meteorologische Station eröffnet, ein Observatorium, das in einem Turmbau, der vom Deutschen und Österreichischen Alpenverein er-

HÜTTEN/EINKEHR

Höllentaleingangshütte am Beginn der Klamm, 1045 m (einfache Bewirtschaftung, keine Übernachtung); Höllentalangerhütte, 1387 m (AV-Hütte, von Mitte Mai bis Mitte Oktober bewirtschaftet, 90 Lager, 16 Notlager); Münchner Haus, 2962 m (AV-Hütte, von Anfang Mai bis Ende September bewirtschaftet, 34 Lager).

KARTE

Alpenvereinskarte 1:25 000 „Wetterstein- und Mieminger Gebirge", Mittleres Blatt.
Topographische Karte 1:50 000, Sonderblatt „Karwendelgebirge – Werdenfelser Land" (BLVA)

stellt worden war, untergebracht werden konnte. Der erste Wetterwart dort oben war der als Bergsteiger bekannte Josef Enzensperger; er blieb sieben Monate und ging anschließend auf eine Forschungsexpedition in die Antarktis, von wo er nicht wiederkehrte.

So traurig Enzenspergers Ende, so amüsant sind oft die Notizen aus dem Tagebuch, das der 27jährige während seiner Zeit auf der Zugspitze geführt hat. So schreibt er zum Beispiel folgendes:

„Wohl entbehre ich in meiner selbstgewählten Einsamkeit manche Freuden, die das Leben verschönern: Mir flicht keine Frau, himmlische Rosen ins irdische Leben', wenn mir auch mehr als ein weibliches Wesen – leider meist anonym – die Bereitwilligkeit aussprach, meine Einsamkeit für einige Wochen, und wenn es hochkam, für einige Monate zu versüßen ..."

Ist es nicht erstaunlich, wie man in unmittelbarer Nähe des verbauten Zugspitzgipfels, im Stimmengewirr der Schnappschußtouristen, im schrillen Treiben des Alpinkonsums die Gegenwart vergessen und sich dem nostalgischen Schwelgen hingeben kann, Erinnerungen an stille Zeiten in stillen Gebirgen. Aber es hilft ja alles nichts ...

Mit wenigen Abstiegsminuten gelangt man aus der alpinistischen in die touristische Welt. Und den Umständen gemäß verläßt man den lauten, verbauten Ort mit der Seilbahn mühelos hinab zum Eibsee.

Doch alles, was sich hier so leicht liest, weist in der Realität Ernst und Gefahren auf. Die Zugspitztour ist aufgrund ihrer Anforderungen an den Bergsteiger, aufgrund ihrer Länge und der objektiven Gefahren (vor allem durch Wettersturz) ein anspruchsvolles alpinistisches Unternehmen.

***Oben:** Der höchste Gipfel des Wettersteingebirges und damit auch Deutschlands ist nicht unberührt geblieben; eine Wetterstation, das Münchner Haus und das österreichische Berghotel (die deutsch-österreichische Grenze verläuft direkt über den Gipfel) „schmücken" den höchsten Punkt der Zugspitze. Zwei Bergbahnen enden auf seinem Gipfel, eine weitere etwas unterhalb auf dem Zugspitzplatt. Keine Chance für Bergeinsamkeit, doch die Aussicht entschädigt für vieles.*

***Unten:** Rast an der Höllentalangerhütte.*

50 SONNENSPITZE UND HINT. TAJAKOPF

Wilde Felsformationen über der Coburger Hütte

GIPFEL
Sonnenspitze, 2417 m.
Hinterer Tajakopf, 2408 m.

TALORT
Ehrwald, 994 m.

AUSGANGSPUNKT
Östlicher Ortsrand von Ehrwald bzw. Talstation der Ehrwalder-Alm-Gondelbahn.

ANFAHRT
a) mit dem Auto: Auf der Garmischer Autobahn bis zu deren Ende in Eschenlohe, dann weiter auf der Landstraße bis Garmisch und über den Grenzübergang Griesen nach Ehrwald. In Ortsmitte links weg in Richtung Ehrwalder Alm. Dort Parkmöglichkeit.
b) mit der Bahn: Von München mit der Bahn nach Garmisch; dort umsteigen in den Verbindungszug Richtung Pfronten-Steinach/Reutte. Aussteigen nach der Grenze am Bahnhof Ehrwald. Zu Fuß auf Seitenstraßen nach Ehrwald und südwestwärts weiter Richtung Ehrwalder Alm.

GEHZEITEN
Von Ehrwald über den Hohen Gang zur Coburger Hütte 3 Std. Gipfelanstieg von der Hütte auf die Sonnenspitze 2 Std. Gipfelanstieg von der Hütte auf den Hinteren Tajakopf 1½ Std. Abstieg zur Hütte von der Sonnenspitze 1¼ Std., vom Hinteren Tajakopf 1 Std. Abstieg nach Ehrwald 2 Std. Gesamtgehzeit Sonnenspitze: 8¼ Std. Gesamtgehzeit Hinterer Tajakopf: 7½ Std.

SCHWIERIGKEIT
Der Anstieg zur Coburger Hütte erfolgt auf Bergsteig und erfordert bereits etwas Trittsicherheit. (Leichte Variante über die Ehrwalder Alm.) Der Gipfelweg auf die Sonnenspitze ist sehr steil. Trittsicherheit und Schwindelfreiheit unbedingt erforderlich. Einige Stellen im Schwierigkeitsgrad II und I, z.T. durch Drahtseilsicherungen entschärft.
Anstieg auf den Hinteren Tajakopf auf deutlich ausgeprägtem Steig; am Gipfel muß man schon mal die Hände an den Fels legen. Trittsicherheit und Schwindelfreiheit erforderlich.

Die Mieminger Kette südlich des Wettersteingebirges ist in der Regel nur Insidern als Gebirgsgruppe ein Begriff. Sie gilt auch nicht unbedingt als Wanderparadies. Doch wer wilde, ungezähmte Bergwelt erleben will, kann dort sein Revier finden. Und da hat sich seit den Tagen Hermann von Barths nichts geändert, der dieses Fazit schon 1874 in seiner Beschreibung „Aus den Nördlichen Kalkalpen" zog: „Das unbekannte, unbesuchte Mieminger Gebirge besitzt in der Oberen Platte seinen Culminationspunkt ..." (heute: Hochplattig, 2768 m). Ausdruck dieser Vernachlässigung ist die spärliche Ausstattung mit bewirtschafteten Hütten. Nur am Gebirgsrand gibt es einige Ausflugsgaststätten und bewirtschaftete Almen. Aber eine Tour gilt es nicht zu versäumen, denn sie gehört zu den klassischen Zielen aller Bergvernarrten: das Gipfelrund um die Coburger Hütte, der einzigen bewirtschafteten Alpenvereinshütte in den Mieminger. Neben dem märchenhaft gelegenen Seebensee, dem Drachensee und den bizarren Felsgipfeln rund um die Hütte bietet sich von dort oben der wohl fotogenste Blick auf das gesamte Zugspitzmassiv. Der interessanteste Aufstieg führt von Ehrwald, der Wahlheimat von Ludwig Ganghofer, über den anspruchsvollen „Hohen Gang" zur Coburger Hütte. Für die, die es gerne etwas gemütlicher haben wollen, bietet die Ehrwalderalm-Bahn eine Aufstiegshilfe auf die Ehrwalder Alm, von der sich dann ein gemütlicher, breiter Wanderweg nahezu eben zum Seebensee hinüberzieht, wo sich beide Wege wieder vereinen.
Der Anstieg über den „Hohen Gang": Am östlichen Ortsrand von Ehrwald beginnt bei der Kapelle rechts ein Pfad, der uns zuerst durch langsam ansteigende Berghänge, dann durch schönen Mischwald an die Felsen der Seebenwände heranführt. Über den zum Teil ausgesetzten, aber gesicherten Felssteig überwinden wir die erste Geländestufe hinauf ins Drachenkar und sehen bald unter uns den Seebensee.

Wir steigen kurz hinab, gehen rechts am See vorbei und steigen auf steilem Steig, dem „Hohen Fall“, hinauf zur Coburger Hütte.
Die meistbegangene Route auf die Sonnenspitze verläuft rechts von der Hütte auf steilem Pfad über die Biberwierer Scharte und durch die Südwand, wobei die „schärfsten“ Stellen mit Eisenklammern und Drahtseilen versehen sind. Nur für absolut trittsichere und schwindelfreie Berggänger.
Um auf den Hinteren Tajakopf zu gelangen, steigen wir zuerst hinab zum nahezu kreisrunden Drachensee und hinauf unter die Nordwände der Griesspitzen, dann links fast eben bis knapp vor das Hintere Tajatörl. Wir queren um den ersten Felsaufbau links herum und steigen hinauf zum begrünten Sattel am Beginn des eigentlichen Gipfelgrates. Über diesen hinauf zum höchsten Punkt.

HÜTTEN/EINKEHR
Coburger Hütte, 1917 m (AV-Hütte, von Mitte Juni bis Mitte Oktober bewirtschaftet, 6 Betten, 80 Lager).

KARTE
Amtliche österreichische Karte 1:50 000 des Bundesamtes für Eich- und Vermessungswesen, Blatt 116 „Telfs“.

Tiefblick von der Sonnenspitze auf den Seebensee; gegenüber baut sich der Vordere Tajakopf auf. Gut erkennbar der breite Wanderweg hinaus zur Ehrwalder Alm.

Links: Die Coburger Hütte oberhalb des Drachensees vor der Kulisse der Ehrwalder Sonnenspitze.

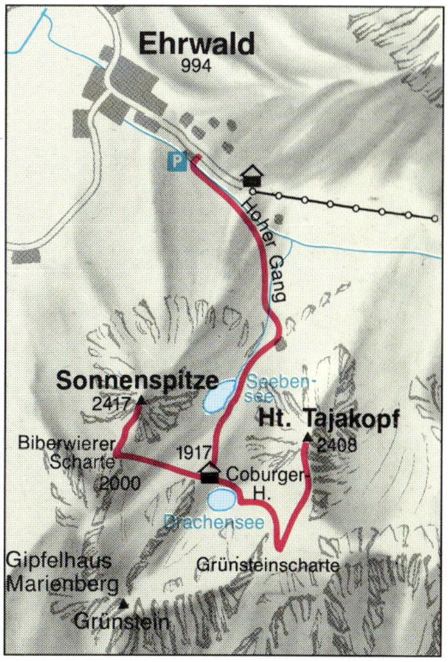

51 DANIEL UND UPSSPITZE

Gipfelpaar über dem Ehrwalder Becken

GIPFEL
Daniel, 2340 m.

TALORT
Lermoos, 994 m.

AUSGANGSPUNKT
Bahnhof von Lermoos.

ANFAHRT
a) mit dem Auto: Über Garmisch und den Grenzübergang Griesen nach Lermoos.
b) mit der Bahn: Von München mit der Bahn nach Garmisch, dort umsteigen Richtung Pfronten – Steinach/Reutte bis zum Bahnhof Ehrwald bzw. Bahnhof Lermoos.

GEHZEITEN
Von Lermoos bzw.Ehrwald-Bahnhof über die Tuftelalm zur Upsspitze 3¾ Std., Übergang zum Daniel ¼ Std., Abstieg 2½ Std. Gesamtgehzeit: 6½ Std.

SCHWIERIGKEIT
Von Lermoos zur Tuftelalm steiler Bergsteig; von Ehrwald zur Tuftelalm Almfahrweg. Der weitere Anstieg erfolgt dann wieder auf Bergsteig.

HÜTTEN/EINKEHR
Tuftelalm, 1485 m (im Sommer einfach bewirtschaftet).

KARTE
Topographische Karte 1:50 000, Sonderblatt „Karwendelgebirge – Werdenfelser Land“ (BLVA).

Blick über Ehrwald hinweg auf das Gipfelpaar Daniel und Upsspitze.

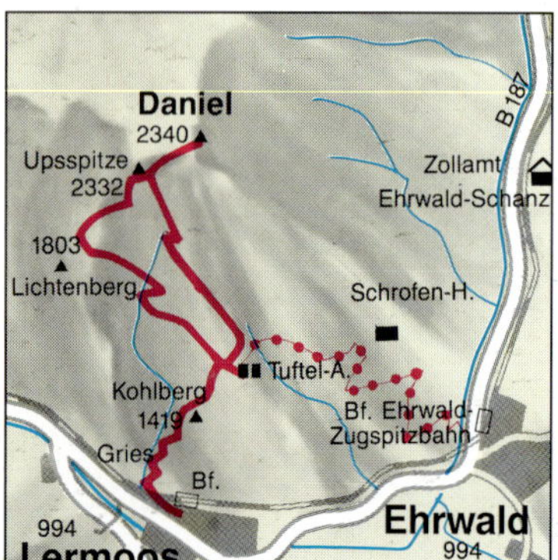

Auch wenn die das Ehrwalder Becken dominierende Zugspitze das Landschaftsbild bestimmt, versteht es der Daniel, immerhin der höchste Gipfel der Ammergauer Alpen, Eindruck zu machen. 1300 Meter überragt er das Lermooser Moos. Den besten Anblick bietet er allerdings von Norden und von Osten, denn dort bricht er mit steilen Wänden ab, was ihm von diesen Seiten zur Form einer Pyramide verhilft. Da sein höchster Punkt von einem Gipfeldach gebildet wird, wird der massive Eindruck noch verstärkt. Ganz anders sein Anblick von Süden, hier wirkt er behäbig und offeriert bis in den felsigen Gipfelbereich steile Wälder und Grasflanken. Auch wenn der Daniel und sein Nachbar, die Upsspitze, als Modeberge bezeichnet werden, so trifft dies nur bedingt zu. In Mode jedoch ist die Upsspitze ganz sicher bei den Gleitschirmfliegern. An schönen Wochenenden übertrifft die Zahl der „Piloten“ die der Bergwanderer um das Mehrfache.
Der übliche Anstieg beginnt in Lermoos beim Bahnhof. Wir unterqueren links davon die Unterführung und steigen den steilen, markierten Weg zuerst über steile Hangwiesen, dann durch Wald hinauf zur Tuftelalm, 1498 m. (Von rechts mündet hier der schattige Fahrweg ein, der beim Ehrwalder Bahnhof in Nähe des Eisenbahnviadukts beginnt.) Da es am ganzen Anstiegsweg keine Alpenvereinshütte bzw. bewirtschaftete Alm mehr gibt, bietet die Tuftelalm die einzige Möglichkeit der Erfrischung. Wir werden in der Regel jedoch erst beim Abstieg ihr Angebot wahrnehmen. Jenseits der Alm führt der gut markierte Steig weiter über Almwiesen und dann durch lichten Wald hinauf bis in die Latschenzone unterhalb des Upsspitz-Gipfels, wobei wir uns stets auf einem der nach Süden erstreckenden Gratausläufer bewegen. Zuletzt über Schotter- und Felsgelände hinauf auf den Vorgipfel des Daniel, der breiten Schulter der Upsspitze. Wenn die Thermik stimmt, dominieren hier die grellen Farben der Gleitschirme, die einer nach dem anderen sich mit einem grellen Knall auffüllen und hinab ins weite Ehrwalder Tal hinabschweben. Nur noch eine Viertelstunde trennt uns vom Hauptgipfel, den wir über eine zum Teil ausgesetzte Gratschneide Richtung Nordosten erreichen. Dort erwartet uns ein ungewöhnliches Gipfelkreuz, das weniger an christliche Symbolik denken läßt, als an Zeichen aus der germanischen Mythologie, was auch für den Vorgänger des jetzigen Kreuzes gilt, der mit einem Sonnensymbol geschmückt war.
Beindruckend hier der Anblick des Wettersteingebirges mit dem dominierenden Zugspitzmassiv im Vordergrund. Jenseits des Ehrwalder Beckens baut sich steil die Sonnenspitze auf.
Für den Abstieg wählen wir die Anstiegsroute, garnieren sie aber mit einer Variante. Wir gehen zurück zur Upsspitze und ein Stück darüber hinaus, bis links ein steiler Steig uns hinableitet auf den Verbindungsweg zwischen Bichelbacher Alm und Tuftelalm, wobei wir den Grünen Ups überschreiten. Links weiter zur Tuftelalm und von dort, nach der verdienten Einkehr, hinab nach Lermoos bzw. nach Ehrwald.

52 KRAMERSPITZ

Panoramablick auf das Wettersteingebirge

TALORT
Garmisch-Partenkirchen, 708 m.

AUSGANGSPUNKT
Friedhof am westlichen Ortsrand von Garmisch.

ANFAHRT
a) mit dem Auto: Garmischer Autobahn bis Eschenlohe, dann Landstraße. Vor Garmisch, bei der Straßenverzweigung, rechts bis Sonnenbichl, dann wieder rechts zum Friedhof.
b) mit Bahn/Bus: Mit der Bahn nach Garmisch-Partenkirchen und zu Fuß oder mit Lokalbus zum Ausgangspunkt am Friedhof.

GEHZEITEN
Von Garmisch über St. Martin am Grasberg zum Kramerspitz 4 Std., Abstieg über die Stepbergalm 4 Std., Gesamtgehzeit: etwa 8 Std.

SCHWIERIGKEIT
In den unteren Teilen bequeme Fußwege, in den oberen alpine Wanderwege und gut angelegte Steige.

HÜTTEN/EINKEHR
Gasthaus St. Martin, 1028 m (privat, keine Übernachtung); Stepbergalm, 1583 m (während der Weidezeit bewirtschaftete Almhütte, keine Übernachtung).

KARTE
Topograpische Karte 1:50 000 „Karwendelgebirge - Werdenfelser Land" (BLVA).

HINWEISE
Etwa auf halbem Weg zwischen Gipfel und Stepbergalm zweigt ein wenig ausgeprägter „Schnellabstieg" ab (übers Schafwankl). Er ist sehr steil, knie- und bodenfeindlich und deshalb absolut nicht zu empfehlen, auch wenn er unter Einheimischen als Geheimtip gilt.

Fraglos gibt es in den Bayerischen Alpen schönere Ortschaften als das überfremdete, überquellende, über-durchfahrene Garmisch-Partenkirchen. Doch das beeindruckende Panorama des Wettersteingebirges über dem weiten, ebenen Loisachtalboden verklärt sein Bild mit solcher Macht, daß das Doppeldorf immer noch weithin als Verkörperung der Alpenidylle gilt – und zwar nicht nur in Castrop-Rauxel oder in Wanne-Eickel.

Kommt man von München her ins Werdenfelser Land, so stiehlt natürlich das Wettersteingebirge, die Zugspitze und ihre Satelliten zunächst einmal allen anderen Bergen die Schau. Das Karwendel liegt doch schon etwas weiter weg, und ansonsten bleibt nur noch der Wank, auf der Ostseite des Tales gelegen, der ein paar Blicke auf sich ziehen könnte. Dagegen fällt der westseitige Eckpfeiler des Tales weniger auf. Mit steilen, hohen, zerrissenen, wald- und latschenbewachsenen Wänden, die seinen Gipfel oft den Blicken entziehen, steigt er unmittelbar hinter den letzten Häusern auf. Schaut man aus einiger Entfernung hinauf, sieht man gleich zwei metallene Gipfelkreuze in der Sonne glänzen. Es handelt sich um den Kramerspitz, den südöstlichsten Bergstock der Ammergauer Alpen.

In diesem Gebirge, dessen Charakter zwischen Voralpen und „richtigem" Hochgebirge liegt, zählt er eher zu den Kleineren, Voralpinen, doch bietet er eine Überschreitung, die leicht einen ganz ordentlichen Wandertag zu füllen vermag. Etwas Ausdauer ist also gefragt, und ein ganz klein wenig Trittsicherheit auch. Dafür läßt sich diese Tour bis in den Frühwinter hinein begehen, wenn es noch nicht allzuviel Neuschnee hat. Und nicht zu vergessen ist auch die geradezu grandiose Aussicht auf das benachbarte Wettersteingebirge!

Wir starten hinter dem Friedhof im Ortsteil Garmisch, kreuzen bald den Kramerplateauweg und steigen Richtung Wirtshaus St. Martin. Nach dem Wirtshaus und einem Unikum von einer eisernen Aussichtskanzel geht es noch eine Zeitlang in Kehren höher, dann führt der Weg flach

Der aussichtsreich angelegte Kramerweg bietet freien Blick über Garmisch-Partenkirchen hinweg auf das Karwendel (hier im Bild) und das Wettersteingebirge.

zum Königsstand hinüber, und wir müssen aufpassen, daß wir die Abzweigung nach links Richtung Kramer erwischen. Etwas mühsam steigen wir zum Grat hoch und über diesen (Kramersteig), teilweise in die Nordflanke querend, zum Gipfel.
Der Abstieg erfolgt nach Westen, auf gutem Steig geradeaus zur Stepbergalm. (Hier können wir noch einen Abstecher auf die Hohe Ziegspitz einlegen.) Hinunter und weiter über der tiefeingeschnittenen Kramerlaine ins Tal. Auf dem flachen Kramerplateauweg (Spazierweg) gelangen wir wieder zu unserem Ausgangspunkt.

Im letzten Teilstück des Aufstiegs zum „Kramer" – wie er volkstümlich genannt wird –, dem südöstlichsten Bergstock der Ammergauer Alpen. Nur noch eine Viertelstunde trennt uns vom Gipfelkreuz.

53 NOTKARSPITZE

Mit Tiefblick auf das Kloster Ettal

GIPFEL
Notkarspitze, 1889 m.

TALORT
Ettal, 877 m.

AUSGANGSPUNKT
Ortsmitte von Ettal.

ANFAHRT
a) mit dem Auto: Auf der Garmischer Autobahn bis zu deren Ende bei Eschenlohe, dann weiter auf der Landstraße bis Oberau; dort rechts ab Richtung Ettal. Parkplätze im Ort bzw. am Ettaler Sattel kurz vor Ettal.
b) mit Bahn/Bus: Von München mit der Bahn Richtung Garmisch, aussteigen am Bahnhof Oberau. Von dort mit RVO-Bus bis Ettal.

GEHZEITEN
Von Ettal über Ochsensitz und Ziegelspitz auf die Notkarspitz 3 Std. Schnelabstieg durch das Notkar 1½ Std. Für die reizvolle, aber länger dauernde Abstiegsvarianten über die Kuhalm bzw. durchs Gießenbachtal 3 Std. Gesamtgehzeit: 4½ Std. bis 6 Std., je nach Abstiegsroute.

SCHWIERIGKEIT
Aufstieg guter Bergweg und Bergsteig. Der Abstieg durch das Notkar ist steil und erfordert Trittsicherheit. Die Abstiegsvariante über die Kuhalm erfordert etwas Orientierungssinn und führt zuerst durch Latschen und über einen schmalen Steig, dann weiter auf gut begehbarem Weg zur Kuhalm und weiter hinab durchs Kuhalmbachtal; am Ausgang des Kuhalmbachtals beginnt ein Fahrweg, der auf die Verbindungsstraße zuführt, dort auf Wanderweg zurück nach Ettal.

HÜTTEN/EINKEHR
Unterwegs keine. Zahlreiche Gasthäuser in Ettal.

KARTE
Topographische Karte 1:50 000, Sonderblatt „Karwendelgebirge – Werdenfelser Land“ (BLVA).

Die glückliche Verbindung von landschaftlicher Schönheit mit solcher, die Menschenhand erschuf, kann zweifellos als Charakteristikum der Ammergauer Berge gelten. So wie die Klammspitze „ihr“ Schloß Linderhof hat und der Säuling „sein“ Schloß Neuschwanstein, so hat auch die Notkarspitze, die wir hier vorstellen wollen „ihr“ Kloster Ettal. Nur der Wieskirche, die ja ebenfalls am Rand der Ammergauer Alpen liegt, fehlt ein solcher Hausberg.

Auch die „Not“, wie sie von den Einheimischen genannt wird, ist also eine Wanderung, an die sich sehr gut der Besuch eines Kulturdenkmals anschließen läßt. An schönen, langen Sommertagen läßt sich das alles – rechtzeitigen Aufbruch vorausgesetzt – mühelos als Tagestour schaffen, und es bleibt sogar noch Zeit dazwischen, den ersten Durst zu löschen oder den berühmten Klosterlikörs zu probieren.

Wir starten entweder am Ettaler Sattel an der Straße ins Loisachtal oder etwas weiter oben, direkt gegenüber dem Kloster. Im ersten Fall gehen wir auf der Forststraße bis zum langgezogenen Ostausläufer der Notkarspitze und schlagen hier den Pfad ein, der uns über diesen Rücken auf den Gipfel führt. Im zweiten Fall überqueren wir die Wiesen in Richtung auf den bewaldeten Hang und steigen auf kehrenreichem, steilem Pfad zu dem erwähnten Ostausläufer auf. Durch die Baumkronen erhaschen wir immer wieder Tiefblicke auf den barocken Kuppelbau der Klosterkirche. (Das Kloster und seine Kirche gehen auf das 14. Jahrhundert zurück. Kaiser Ludwig der Bayer gründete Ettal ursprünglich als Ritterstift, dem zugleich ein Benediktinerkloster angeschlossen wurde. Das Ritterstift erlosch bald, das Kloster wird – mit Unterbrechung durch die Säkularisation – bis heute fortgeführt. Barock umgebaut wurde es freilich erst vier Jahrhunderte später. Die 75 Meter hohe Kuppel gehört übrigens zu den größten in ganz Bayern.)

Haben wir den Grat erreicht, geht es gemütlicher dahin. Wir überschreiten fast unbemerkt den waldigen Vorgipfel des Ochsensitzes und schlängeln uns durch Latschengassen auf den 200 Meter höheren

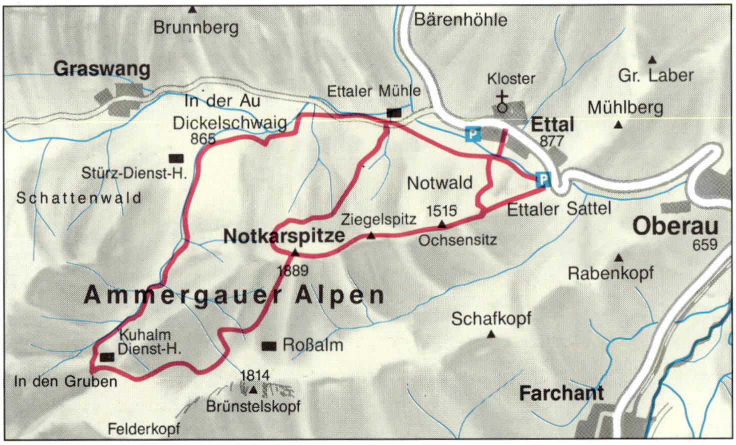

Ziegelspitz, aber immer noch liegen weitere 200 Höhenmeter und ein Kilometer Horizontalentfernung vor uns. Erst nach dieser Ausdauer- und Geduldsprobe stehen wir neben dem Gipfelkreuz.
Zum Abstieg bieten sich, vom Aufstiegsweg abgesehen, drei Möglichkeiten: Haben wir es eilig, so nehmen wir den Nordgrat, biegen bald rechts ins Notkar ab und queren über dem Großkargraben zu einem Rücken, welcher zur Ettaler Mühle hinunterzieht. Gemütlicher, aber auch langwieriger präsentiert sich der Abstieg nach Süden, zum Sattel zwischen Notkarspitze und Brünstelskopf, dort nun entweder das lange Gießenbachtal hinaus bis zum Beginn des Ostgrates, über den unser Aufstieg führte, oder Richtung Westen über aufgelassenes Almgelände zur Kuhalm und durch das Kuhalmbachtal hinaus ins Graswangtal und von dort zurück nach Ettal.

Das Benediktinerkloster Ettal (im 14. Jahrhundert gegründet) überstand in gewisser Weise sogar die Säkularisation von 1803. Im Jahre 1900 setzte das klösterliche Leben wieder ein. 1905 wurde ein Gymnasium mit angeschlossenem Internat eingerichtet, das noch heute besteht. Im Hintergrund die Notkarspitze.

54 KIENJOCH

Stille Ecke in den Ammergauer Alpen

GIPFEL
Kienjoch, 1953 m.

TALORT
Graswang, 866 m.

AUSGANGSPUNKT
Ortsmitte von Graswang.

ANFAHRT
a) mit dem Auto: Auf der Garmischer Autobahn bis zu ihrem Ende bei Eschenlohe, dann weiter auf der Landstraße bis Oberau, dort Abzweigung Richtung Ettal; gleich hinter Ettal geht es links ab ins Graswangtal und nach Graswang.
b) mit Bahn/Bus: Von München mit der Bahn Richtung Garmisch, aussteigen am Bahnhof Oberau. Von dort mit RVO-Bus nach Graswang.

GEHZEITEN
Von Graswang durch das Kuhalmbachtal auf das Kienjoch 3½ Std. Abstieg auf dem Anstiegsweg 2½ Std. Gesamtgehzeit: 6 Std.

SCHWIERIGKEIT
Von Graswang bis zum Eingang des Kuhalmbachtals Fahrweg, dann bis zur Kuhalm breiter Wanderweg. Der Gipfelanstieg erfolgt dann auf schmalem Pfad bzw. Steigspuren. Trittsicherheit erforderlich.

HÜTTEN/EINKEHR
Unterwegs keine. Gasthäuser in Graswang.

KARTE
Topographische Karte 1:50 000, Sonderblatt „Karwendelgebirge – Werdenfelser Land“ (BLVA).

Die Berge rings um Oberammergau und Linderhof sind eigentlich durchwegs stark besucht. Ob Ettaler Manndl, Kofel, Klammspitze oder Kreuzspitze – kaum vergeht ein Tag, da nicht Wanderer und Bergsteiger auf diesen Gipfeln die Bergwelt genießen. Ein wenig im Schatten dieser vielbesuchten „Hausberge“ steht das Kienjoch bei Graswang. Es bietet eine lange, oft einsame Tour auf nicht allzu ausgetretenen Pfaden. Daß man Erfahrung, Orientierungssinn und Trittsicherheit mitbringen sollte, steht dabei außer Frage.

Das Kienjoch versteckt sich derart hinter dem Kieneckspitz, daß es aus dem Tal kaum wahrgenommen werden kann. Vielleicht ist das der Grund, warum eine Tour auf diesen Gipfel auch heute noch ein Tip für Einsamkeitssucher ist. Nach Westen sendet der kammartige Gipfel Grashänge ins Elmautal, zum Osten hin fällt er in Schrofenhängen steil ab.

Ausgangsort ist Graswang auf halbem Weg zwischen Ettal und Linderhof. Bei der Ortseinfahrt zweigt links eine Sandstraße zum Forsthaus Dickelschwaig ab. Die spaziert man hinein, wandert am Forsthaus weiter bis zum Waldrand, hält sich bei der Weggabelung rechts, und erreicht bald den anfangs noch breiten Kuhalmbach. Der Weg führt nun in Bachnähe talein. Bald wird der Bachlauf zur eindrucksvollen Klamm, der Weg im steilen Gelände oft exponiert. Dabei ist das Gelände von großem Reiz: Wildromantische Bachläufe und Wasserfälle dominieren eine weite Strecke, bevor jener Abschnitt erreicht wird, wo Wildbachverbauungen den natürlichen Wasserspielen unansehnliche Fesseln angelegt haben. Nach etwa zwei Stunden Gehzeit ist die Kuhalm und damit ein breiter Fahrweg erreicht. Auf diesem hält man sich kurz nach links bis zur Kuhalmhütte, wo ein Bergweg ansetzt, der hinaufführt zum Kienjoch. Der Weg zieht in südwestlicher Richtung unter den Flanken des Geißsprungkopfs hindurch, wendet sich nach Norden und erreicht über immer freier werdendes Gelände den 1953 Meter hohen Gipfel des Kienjochs.

Der Abstieg kann auf dem Anstiegsweg erfolgen, doch sei hier noch eine Variante beschrieben, mittels deren man das gesamte Kienjoch umrundet. Vom Gipfel steigt man wieder in südlicher Richtung hinunter, bis rechts ein Weg abzweigt, der in vielen Serpentinen 700 Höhenmeter ins Tal des Elmaubaches hinabführt. Dort hält man sich auf einer Forststraße rechts (nordwärts) und wandert talaus. Bei einer Verzweigung der Straße nimmt man den rechten Weg – und auf ihm schlendert man unter den Nordflanken des Kienjochs nach Graswang zurück.

Übergang vom Kieneckspitz zum Kienjoch. Im Hintergrund ist das Zugspitzmassiv und die Mieminger Kette zu erkennen.

55 GROSSE KLAMMSPITZE

Von Linderhof auf einen formschönen Gipfel

GIPFEL
Große Klammspitze, 1924 m.

TALORT
Linderhof, 943 m.

AUSGANGSPUNKT
Parkplatz Linderhof (gebührenpflichtig).

ANFAHRT
a) mit dem Auto: Von der Garmischer Autobahn über Oberau – Ettal oder von Murnau – Oberammergau ins Graswangtal bis zum Schloß Linderhof.
b) mit Bahn/Bus: Mit der Bahn nach Oberammergau oder Garmisch-Partenkirchen; aussteigen am Bahnhof Oberau, von dort mit RVO-Bus nach Linderhof.

GEHZEITEN
Von Linderhof auf die Brunnenkopfhäuser 1¾ bis 2 Std., weiter zur Klammspitze 1¼ Std., Abstieg 2½ Std., Abstieg über Bäckenalmsattel 4 Std.

SCHWIERIGKEIT
Bis zu den Brunnenkopfhäusern bequemer Fußweg (ehemals Reitweg), oberhalb davon alpiner Wanderweg, Schrofen, im Frühsommer steile Altschneefelder, Gipfelanstieg Steiganlage. Klammspitzgrat zum Feigenkopf Steig in steilem Schrofengelände, teilweise Schwierigkeitsgrad I.

HÜTTEN/EINKEHR
Brunnenkopfhäuser, 1602 m (AV-Hütte, bewirtschaftet von Ende Mai bis Ende Oktober, 25 Plätze); Gasthäuser in Linderhof.

KARTE
Topographische Karte 1:50 000, Sonderblatt „Karwendelgebirge – Werdenfelser Land" (BLVA).

HINWEISE
Der gesamte Nordzug des Ammergebirges von Oberammergau bis Hohenschwangau/Füssen kann auf dem über die Klammspitze führenden Höhenweg überschritten werden.

Auf die lange Nordkette der Ammergauer Alpen, an die sich die weiten Wälder des oberbayerisch-allgäuerischen Grenzgebietes anlehnen, führt unsere Tour. Wegen der Ausdehnung dieser Wälder führt kaum ein Anstieg von Norden her auf diesen Gebirgszug, sieht man einmal von der verkehrsmäßig besonders gut erschlossenen Kenzenhütte ab. Die Gipfel zwischen Kenzen- und Pürschlinghaus werden somit durchwegs von Süden, aus dem Graswangtal erstiegen. Das macht die Anstiege zu Genußtouren mit viel Sonne, langer Saison, schöner Aussicht auf die Ammergauer Hauptgipfel und mäßigen Gehzeiten.

Nicht jede Bergtour hat zudem so einen prächtigen Ausgangspunkt wie die Große Klammspitze mit dem Schloß Linderhof. Das „neobarocke" Bauwerk König Ludwigs II., errichtet 1869–1878, und der elegante Park sind einen Besuch wert, und normalerweise reicht auch unsere Zeit dafür, selbst wenn wir die Klammspitze als Tagestour „machen". Nicht entgehen werden wir dabei allerdings einem gründlichen Bad in der Menschenmenge …

Hinter den Häusern von Linderhof beginnt der markierte, bequeme Anstieg zu den Brunnenkopfhäusern. Auch hoch zu Roß käme man dort noch hinauf, denn der Weg ist ein ehemaliger königlicher Reitweg. Die zwei kleinen Hütten hat einst der Bayernkönig als Jagdhäuser erbauen lassen. Der Romantiker auf dem Thron liebte die Natur, die Einsamkeit und das Waidwerk und verbrachte viele Wochen auf seinen Jagdhütten und -schlössern im bayerischen Gebirge. Die Ammergauer Alpen gelten bis heute als das beste Gamsrevier Deutschlands.

Der Weg führt zunächst unter den Dreisäulerkopf und unter diesem in weiter Querung zu den Brunnenkopfhäusern. Ab hier wird es deutlich anspruchsvoller: Querung der steilen Südhänge unterm Brunnenkopf, Anstieg durchs Wintertal unter die Wände der Klammspitze und Gewinnung der südlichen Gipfelabdachung – und dann der „Gipfelsieg". Kaum zu glauben, daß wir nicht einmal die Zweitausendermarke überschritten haben!

Wenn wir Zeit und Lust auf einen schönen Höhenweg haben und gut zu Fuß sind, können wir über den sogenannten Klammspitzgrat nach Westen wandern, den Feigenkopf überschreiten und über die weiten

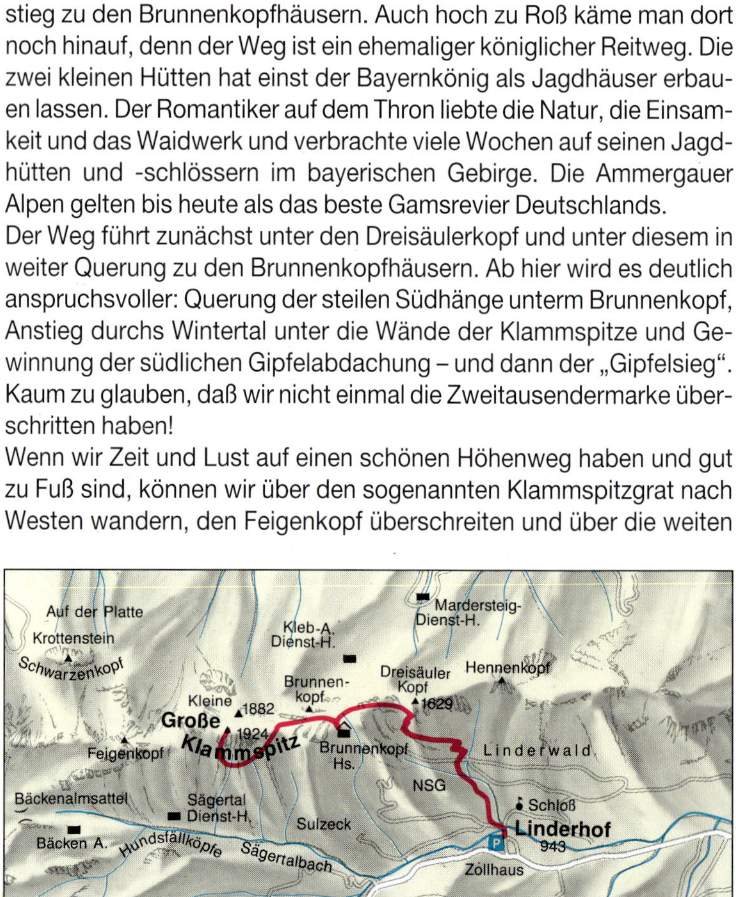

Wiesenböden der Hirschwangalm zum Bäckenalmsattel absteigen. Wir müssen dafür trittsichere und geübte Wanderer sein, und wir sollten uns genau an den Weg bzw. die Pfadspuren halten. Auch gibt es keinen Notabstieg von dem Grat, und der Rückweg durchs Sägertal und die letzten zwei Kilometer auf der Ammertalstraße dürften weniger abwechslungsreich sein.

Überhaupt läßt sich der nördliche Hauptkamm der Ammergauer auf einer für Voralpenverhältnisse einmaligen, mehrtägigen „Haute Route" überqueren. Die Überschreitung kann in Oberammergau bzw. Unterammergau (oder sogar in Eschenlohe) beginnen und in Füssen enden und schließt selbstverständlich auch den oben beschriebenen Weg ein; sie ist Teil des berühmten „Maximilianswegs", der von Lindau nach Berchtesgaden führt.

Die Große und die Kleine Klammspitze bilden als Gipfelpaar einen interessanten Blickfang, wenn man von Ettal kommend ins Graswangtal hineinfährt. Es ist nicht nur formschön, sondern auch die höchste Erhebung der nördlichen Ammergauer Alpen. Bestiegen wird in der Regel nur die Große Klammspitze – und zwar von den Brunnenkopfhäusern. Im Bild deutlich zu sehen der Anstieg durch das sogenannte Wintertal, der links herum auf den Gipfel führt.

56 GEISELSTEIN

Auf das „Matterhorn" der Ammergauer Alpen

GIPFEL
Geiselstein, 1884 m.

TALORT
Halblech, 825 m.

AUSGANGSPUNKT
Parkplatz beim Sägewerk am Ausgang des Halblechtals. Von hier aus mit Kleinbus zur Kenzenhütte.

ANFAHRT
a) mit dem Auto: Auf der B17 Füssen – Steingaden nach Halblech. An der Straße Hinweis auf den Kenzenbus.
b) mit Bahn/Bus: Mit der Bahn nach Füssen und RVO-Bus nach Halblech.

GEHZEITEN
Von der Kenzenhütte zum Geiselsteinsattel 1½ Std., weiter auf den Gipfel ½ Std., Abstieg zum Wankerfleck 1¾ Std. Gesamtgehzeit: 3¾ Std.

SCHWIERIGKEIT
Durchweg alpiner Wanderweg, unterm Geiselstein teilweise etwas mühsam durch Geröll. Gipfelan- und -abstieg leichte Kletterei (Schwierigkeitsgrad I, eine Stelle II), markiert, aber nicht gesichert, glattgetretener Fels.

HÜTTEN/EINKEHR
Kenzenhütte, 1294 m (privat, 60 Plätze, bewirtschaftet von Mai bis Ende Oktober).

KARTE
Topographische Karte 1:50 000, Sonderblatt „Füssen und Umgebung" (BLVA).

Der Geiselstein ist der einzige richtige Kletterberg in den Ammergauer Alpen.

Es ist doch ganz schön vermessen, den nicht einmal 1900 Meter hohen Geiselstein als „Matterhorn" zu apostrophieren, auch wenn man dieses Prädikat durch den Zusatz „der Ammergauer Alpen" relativiert. Allenfalls seine Gestalt, keinesfalls seine Höhe und sein Charakter rechtfertigen die Bezeichnung.

Nichtsdestoweniger ist der Geiselstein ein schneidiger Gesell. Von allen Seiten zeigt er sich als steilwandiger, den Kletterern vorbehaltener Berg; und nur ein einziger halbwegs leichter Weg führt auf seinen Gipfel. Seine Nord- und seine Ostwand gehen weit über das für einen reinen Voralpenberg – etwa die Ruchenköpfe – übliche Maß hinaus; die Ostwand bringt es auf 300 Meter Felshöhe und die Nordwestwand sogar auf 400 Meter. Von diesen Seiten betrachtet, wirkt der Geiselstein auch besonders elegant und freistehend.

Zu Füßen der Geiselstein-Ostwand liegt der idyllische Wankerfleck, eine halbkilometerbreite, völlig ebene, vom Gumpenbach durchflossene Wiese. Überhaupt ist das Gebiet um die Kenzenhütte reich an versteckten, malerischen Winkeln. Der Zugang zu diesem Gelobten Land führt durch die weiten, weiten Wälder, die die Nordseite des Ammergebirges säumen. Denn nicht von ungefähr ist dessen bayerischer Anteil das größte Naturschutzgebiet der Bundesrepublik Deutschland: rund 270 Quadratkilometer Ursprünglichkeit. Die Anreise wird aber durch den Pendelbus Halblech – Kenzenhütte wesentlich erleichtert, der in den Sommermonaten fast alle Stunden fährt. In den letzten Jahren haben die Bergradler die sehr gut ausgebaute Straße natürlich ebenfalls für sich entdeckt. Die Fußgänger hingegen sollten sie lieber meiden und statt dessen von Buching aus mit der Sesselbahn auf den Buchberg fahren und über den schönen Höhenweg hereinwandern.

Fahren wir Samstag vormittags auf die Kenzenhütte, so bleibt uns noch genügend Zeit für einen Nachmittagsspaziergang. Es bietet sich eine Umwanderung des Vorderscheinbergs über Bäckenalmsattel – Scheinbergjoch – Lösertaljoch an. Die „Kenzen" liegt zwar nicht gerade an aussichtsreicher Stelle, doch ist sie idealer Stützpunkt auch für Touren in der Hochplattengruppe. Am Sonntag wandern wir dann von der Hütte aus am Kenzen-Wasserfall vorbei zum gleichnamigen Sattel hinauf, der den Kenzenkopf vom Massiv der Hochplatte trennt. Ein Abstecher auf den Kopf selbst kostet nur eine Dreiviertelstunde. Weiter geht's fast auf Höhenlinie nach Westen und, die idyllischen Böden des Gumpenkares umrundend, nordwärts über Schuttreißen zum Geiselsteinsattel hinauf. Vom Joch queren wir nach Nordwesten, zum Beginn der Rinne, der einzigen „Schwachstelle" im Felsenrund, durch die der An- und Abstieg auf den Gipfel führt. Vorsicht auf Steinschlag bei Voraus- bzw. Nachsteigenden! Der Abstieg vom Geiselsteinsattel führt unter der Nordwand vorbei und in engen Kehren zum Wankerfleck hinunter. Zum Schluß überspringen wir den Gumpenbach und wandern über die Lichtung zur Bushaltestelle bei der Kapelle.

57 SÄULING

Markantes Wahrzeichen des Ostallgäus

GIPFEL
Säuling, 2039 m.

TALORT
Hohenschwangau, 810 m.

AUSGANGSPUNKT
Parkplatz in Hohenschwangau.

ANREISE
a) mit dem Auto: Auf der B17 Steingaden – Füssen bis Schwangau, dann nach Hohenschwangau abzweigen. Großer Parkplatz am Ende der Fahrstraße kurz vor dem Alpsee.
b) mit Bahn/Bus: Mit der Bahn nach Füssen und mit RVO-Bus nach Hohenschwangau.

GEHZEITEN
Von Hohenschwangau auf den Säuling 3½ Std., Abstieg 3 Std. Gesamtgehzeit: 6½ Std.

SCHWIERIGKEIT
Unten Forststraßen und Wanderwege, oben bezeichneter Steig, steil, ein paar Versicherungen; für trittsichere Wanderer.

HÜTTEN/EINKEHR
Säulinghaus, 1694 m (Naturfreundehaus, 60 Plätze, bewirtschaftet von Mitte Mai bis Mitte Oktober).

KARTE
Topographische Karte 1:50 000, Sonderblatt „Füssen und Umgebung" (BLVA).

Den Untergrund der Ammergauer Berge bildet eine Aufeinanderfolge von weichen, harten und brüchigen Gesteinen. Auf weichem Grund, nämlich auf Flysch, sind die waldigen Rücken der Trauchberge im Norden des Gebietes gebaut. Die mächtigen, aber brüchigen Bergstöcke im Süden (Daniel, Kreuzspitze) bestehen aus Hauptdolomit, dessen sterbliche Überreste in langen Schuttreißen zu Tal fließen. Als hartes Rückgrat schließlich zieht sich der Wettersteinkalk durch den Mittelteil des Gebirges, wo er viele der markantesten Erhebungen aufbaut. Hierzu zählt das Ettaler Manndl als östlichster Eckpfeiler des Gebirges ebenso wie der Säuling als dessen westlichster. (Nur der Geiselstein steht als steingewordene Ausnahme da – er besteht aus Rätkalk und nimmt damit die westlicheren Berge vorweg.)
Zusammen mit dem Tegelberg könnte man den Säuling als Hausberg von Neuschwanstein bezeichnen, denn vom Gipfel sieht man genau auf das weiße Schloß herab. Er ist ein schöner, stolzer, freistehender Berg, der dem Wanderer von vielen Ammergauer und Tannheimer Gipfeln sofort ins Auge fällt. An ihn lehnt sich der dreihundert Meter niedrigere Pilgerschrofen zusammen mit einigen Vorgipfeln an. Dieser Aufbau bedingt, daß nicht viele Wege auf den Säuling führen und daß man auch kaum die Möglichkeit einer Überschreitung hat. Als Ausgangspunkte kommen Hohenschwangau im Norden oder Pflach bei Reutte im Süden in Frage, wobei der Südanstieg den Vorteil der längeren Saison hat. Wir können über den jeweils anderen Weg absteigen, doch erscheint das nur sinnvoll, wenn wir an kein Auto gebunden sind.
So wollen wir uns in Hohenschwangau auf den Weg machen, von wo aus anfangs mehrere Wege möglich sind. Wir können hinter dem Schloß Neuschwanstein die Pöllat aufwärts wandern, am Wasserfall vorbei und immer in Richtung Bleckenau. Wir erreichen die dorthin führende Forststraße bei der sogenannten Wegverzweigung „zur Jugend", folgen aber nicht dieser, sondern der nach rechts abzweigen-

den älteren Straße, die ebenfalls in Richtung Bleckenau führt. Nach 20 Minuten zweigt rechts ein weiterer, schmäler werdender Fahrweg ab, der zum Älpele und ins Pilgerkar führt. An der Wildsulzhütte queren wir im Aufstiegssinn links unter die Nordflanke des Säulings und folgen dem Steig, der steil hinauf zur Gamswiese führt. Der Gipfel liegt nun greifbar nahe vor uns. Er eröffnet uns eine Aussicht, die ihresgleichen sucht: weit in die Lechtaler und zur Zugspitze, in die Nordabstürze der Tannheimer gleich gegenüber, auf die Ammergauer, auf die Ostallgäuer Seenplatte und auf Neuschwanstein hinunter.
Für den Abstieg wählen wir den Steig, der von der Gamswiese zum Säulinghaus führt, dann westwärts, unter den Südwänden des Pilgerschrofens entlang, bis wir den Berg umrunden können und bei der Wildsulzhütte wieder auf unseren Aufstiegsweg treffen.

Den Gipfel des Säulings müssen sich zwei Länder teilen: Bayern und Tirol. So gibt es auch zwei ausgeprägte Aufstiegsrouten, die von Hohenschwangau – also von der bayerischen Seite – und die von Pflach im Lechtal – also von der tirolischen Seite. Der Säuling jedenfalls wäre es wert, von beiden Seiten bestiegen zu werden. Im Bild: Blick vom Gipfel des Säulings über das Lechtal auf die nördlichen Tannheimer Berge.

Links: Der Gipfelaufbau des Säulings.

58 BREITENBERG UND AGGENSTEIN

Aussichtsloge über Pfronten

GIPFEL
Breitenberg, 1838 m.
Aggenstein, 1985 m.

TALORT
Pfronten, 882 m.

AUSGANGSPUNKT
Talstation der Breitenbergbahn in Pfronten-Steinach.

ANFAHRT
a) mit dem Auto: Garmischer Autobahn bis zum Ende in Starnberg, dann auf der Landstraße über Weilheim, Peißenberg, Peiting und Steingaden nach Füssen bzw. über Lindauer Autobahn bis Landsberg, dann über Schongau nach Füssen. Dort über die Grenze nach Vils und weiter bis Pfronten-Steinach. Achtung: zweifacher Grenzübertritt.
b) mit Bahn/Bus: Von München mit der Bahn nach Kempten; dort umsteigen auf die Verbindungslinie nach Reutte; oder: umsteigen in Marktoberdorf bis Hopferau, dann weiter mit RVO-Bus bis Pfronten.

GEHZEITEN
Anstieg von der Talstation bis zum Grat zwischen Breitenberg und Aggenstein 2½ Std.; Abstecher zum Breitenberg bzw. zur Ostlerhütte ½ Std. Anstieg zum Aggenstein 1 Std.; Abstieg über Bad Kissinger Hütte und Plattenbachtal 2 Std. Gesamtgehzeit: 6½ Std. Bei Benutzung von Breitenbergbahn und Hochalpbahn 3 Std. weniger.

SCHWIERIGKEIT
Zu Beginn Fahrwege, dann gut begehbare Bergsteige. Während der Breitenberg sich auch als Ausflugsberg für die ganze Familie eignet, erfordert der Aggenstein Trittsicherheit und Schwindelfreiheit im Gipfelbereich (einige Drahtseilsicherungen). Der Abstieg über die Bad Kissinger Hütte ist einfach.

HÜTTEN/EINKEHR
Hochalphütte, 1509 m, bei der Bergstation der Breitenbergbahn (während des Bahnbetriebs bewirtschaftet, Übernachtungsmöglichkeit); Ostlerhütte, 1838 m (von Mai bis Allerheiligen und von Weihnachten bis eine

Der Hausberg der Pfrontener, der Aggenstein, ragt so markant aus der Talebene , daß er viel Aufmerksamkeit auf sich zieht. Sein unscheinbarer Nachbar, der Breitenberg, braucht aber über mangelnden Besuch ebenfalls nicht klagen, denn direkt auf seinem Gipfel steht die einladende, ganzjährig geöffnete Ostlerhütte. Geologisch weicht dieser Eckpfeiler der Tannheimer Berge von den anderen Gipfeln dieser Gebirgsgruppe ab, was sich im zerklüfteten Gipfelaufbau zeigt und uns bereits eine Ahnung vom Charakter des Allgäuer Hauptkamms gibt. Für den Bergwanderer hat der Aggenstein nur zwei Routen anzubieten: eine von Pfronten-Steinach und eine von Grän. Beliebt sind beide, doch für die von Norden Anreisenden bietet sich die Kombination mit dem Breitenberg geradezu an.
Falls wir die Auffahrt mit der Seilbahn verschmähen, starten wir vom Bahnhof in Pfronten-Steinach bzw. vom Wanderparkplatz an der Talstation. Wir nähern uns auf einem Feldweg dem Bergmassiv und steigen dann immer in Nähe der Seilbahntrasse in steilen Serpentinen überwiegend durch Wald den Unteren Breitenberg hinauf. Bei der Hochalphütte (1500 m) bzw. der Bergstation der Kleinkabinenbahn ändern wir die Richtung und wandern auf einem Steig, dem Sessellift folgend, hinauf auf den Kamm, der Breitenberg und Aggenstein verbindet. Dort rechts zur Ostlerhütte. Für die Besteigung des Aggen-

steins kehren wir zurück in den Sattel und steigen auf Kammhöhe bis an seinen Fuß. Dort leiten steile, kurze Serpentinen über schrofiges Gelände zu einem langen Band, dem sogenannten „Langen Strich". Weiter in Serpentinen hinauf auf die Ostschulter zum Gipfelkreuz. In nur einer Viertelstunde steigen wir über den Südrücken ab zur Bad Kissinger Hütte und genießen auf der großen Terrasse die Brotzeit und ein großartiges Panorama. Den Abstieg ins Tal nehmen wir über den „Bösen Tritt", der uns nur wenige Meter östlich der Hütte nach Norden hinableitet. Bei der Wegverzweigung am Ende der steilen Serpentinen haben wir die Möglichkeit, links zur Bergstation der Breitenbergbahn zurückzukehren oder ein kurzes Stück rechts zu gehen, dann entlang des Plattenbachs und durch die wildromantische Reichenbachschlucht zurück zum Ausgangspunkt abzusteigen.

Woche nach Ostern durchgehend bewirtschaftet, 15 Betten, 60 Lager); Bad Kissinger Hütte, 1792 m (AV-Hütte, Anfang Mai bis Ende Oktober sowie bei günstiger Witterung im November bewirtschaftet, 14 Betten, 80 Lager).

KARTE
Topographische Karte 1:50 000, Sonderblatt „Füssen und Umgebung" (BLVA).

Bad Kissinger Hütte (ehem. Pfrontner Hütte) und Aggenstein von Südosten. Die 1923 erbaute Alpenvereinshütte wurde an exponierter Stelle errichtet und bietet einen weitreichenden Ausblick auf die nahen Allgäuer und Lechtaler Alpen.

Links: Der Aggenstein aus dem Engetal – also von der tirolischen Seite – gesehen. Wie der Säuling ist der Aggenstein ein Gipfel, der bayerische und tirolische Ansprüche in sich vereinigen muß.

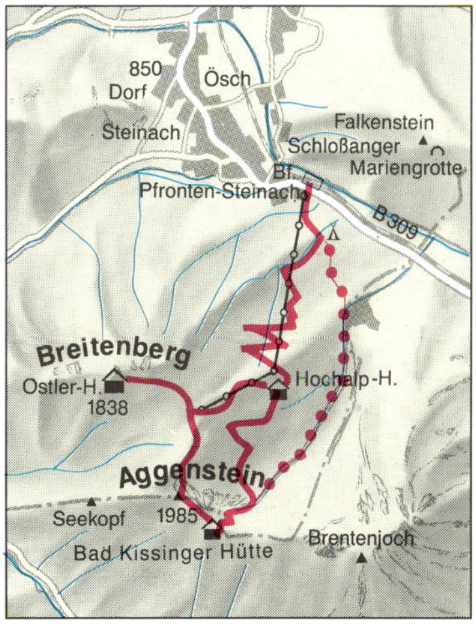

59 THANELLER

Kühne Felsgestalt über dem Heiterwanger See

GIPFEL
Thaneller, 2341 m.

TALORTE
Berwang, 1342 m.
Heiterwang, 994 m.

AUSGANGSPUNKT
Ortsmitte von Berwang.

ANFAHRT
a) mit dem Auto: Garmischer Autobahn bis zum Ende in Eschenlohe, dann auf der Landstraße über Garmisch-Partenkirchen zum Grenzübergang Griesen. Dann weiter über Lermoos nach Bichlbach, wo die Nebenstrecke nach Berwang abzweigt. Parkmöglichkeit im Ort.
b) mit Bahn/Bus: Von München mit der Bahn über Garmisch-Partenkirchen und Ehrwald bis zum Haltepunkt Bichlbach, 1079 m. Von dort mit dem Linienbus noch 4 Kilometer bis Berwang (oder zu Fuß 1 Std.).

GEHZEITEN
Von Berwang über den Kampeleplatz auf den Thaneller 3½ Std.; Abstieg 2½ Std. Gesamtgehzeit 5 Std. Von Heiterwang führt ein gesicherter Klettersteig in 5 Std. auf den Gipfel.

SCHWIERIGKEIT
Von Berwang zu Beginn Fahrweg, dann Wanderweg und einfacher Bergsteig. Auch für Kinder geeignet. Der Klettersteig von Heiterwang aus setzt den trittsicheren und schwindelfreien Bergwanderer voraus.

HÜTTEN/EINKEHR
Unterwegs keine. Gasthäuser in Berwang und Umgebung.

KARTE
Topographische Karte 1:50 000, Sonderblatt „Füssen und Umgebung" (BLVA).

Eine Bergtour ohne Einkehrmöglichkeit rangiert auf der Beliebtheitsskala der Bergwanderer eher ganz unten. Doch warum treibt es – für Lechtaler Verhältnisse – so viele Bergsteiger auf diesen kargen Gipfel in den nordwestlichen Lechtaler Alpen? Es wird kein Zufall gewesen sein, daß dieser Berg der erste nachweislich touristisch erstiegene Gipfel der Lechtaler Alpen ist. Schon vor 1800 hat es den ersten Wanderer auf seinen höchsten Punkt getrieben. Und was dieser damals zu sehen bekam, zieht auch heute noch – gerade im Herbst – magisch an: eine phantastische Aussicht. Im Osten ist es die Zugspitze, die unseren Blick auf sich zieht, und im Süden das Panorama der unzähligen Lechtaler Bergspitzen. Nahezu freistehend streckt der Thaneller seine Fühler gegen den Himmel und imponiert uns durch seine massive, pyramidenähnliche Gestalt. 1400 Meter fällt seine Nordwand ab und gibt uns bei guter Sicht den Blick frei auf Heiterwanger See und Plansee im Norden, wie er umgekehrt für die malerische Kulisse an beiden Seen sorgt. Links davon erkennen wir Reutte, dahinter blinkt aus dem bayerischen Alpenvorland der Forggensee herüber. Im Westen ist es die freie Schau über das Lechtal hinweg auf die Tannheimer und Allgäuer Berge, mit dem das Bild dominierenden Hochvogel. Wir werden uns also eine nicht zu knapp bemessene Brotzeit und ausreichenden Trinkvorrat in unseren Rucksack packen, denn der hier empfohlene

Wer es bis zum Gipfel noch nicht gemerkt hat, auf welchen Berg er gerade angestiegen ist, wird es beim Thaneller spätestens knapp unterhalb des Gipfelkreuzes unübersehbar erfahren.

Südanstieg ist besonders im Sommer schweißtreibend, da er im oberen Teil stark der Sonne ausgesetzt ist.
Wir starten unsere Tour in Berwang (etwas kürzer, aber steiler ist der Anstieg vom benachbarten Weiler Rinnen), das Sommer wie Winter über Besuchermangel nicht klagen muß. Das kleine Höhendorf – wir ersparen uns beim Anstieg 350 Höhenmeter gegenüber der Route von Heiterwang – hat bei etwa 550 Einwohnern eine Viertelmillion Übernachtungen aufzuweisen.
Vom nordwestlichen Ortsrand in Berwang folgen wir zuerst einem Fahrweg, der uns durch leicht ansteigendes Wiesengelände zu den dort installierten Skiliften und damit auch zum Bergfuß bringt. Beim letzten Lift verlassen wir den Fahrweg rechts und steigen in westlicher Richtung auf Steig zuerst über freie Hänge, dann in Kehren durch den sogenannten Bannwald hinauf zum Kampeleplatz auf 1717 Meter Höhe (dort mündet auch der etwas kürzere Anstiegsweg vom Dorf Rinnen ein). Nun weiter in Serpentinen hinauf auf den bald freien und breiten Rücken des Thaneller-Südgrates, dem wir dann auf grasdurchsetztem Schrofengelände bis zum Gipfel folgen.
Eine interessante, aber auch anspruchsvollere Anstiegsvariante bietet der Werner-Riezler-Steig, der nordwestlich von Heiterwang beginnt und uns durch das Karlestal hinauf zum Thanellerkar leitet. Von dort führt ein gesicherter Klettersteig auf den Gipfel des Thanellers. Falls wir eine Rundtour planen, ist der Start in Heiterwang zu empfehlen, um die Wanderung gemütlich über den Südabstieg ausklingen lassen zu können.

Vom Thaneller bietet sich ein faszinierender Blick Richtung Osten auf das gesamte Zugspitzmassiv. In der Talfurche erkennen wir die Orte Bichlbach und Lähn.

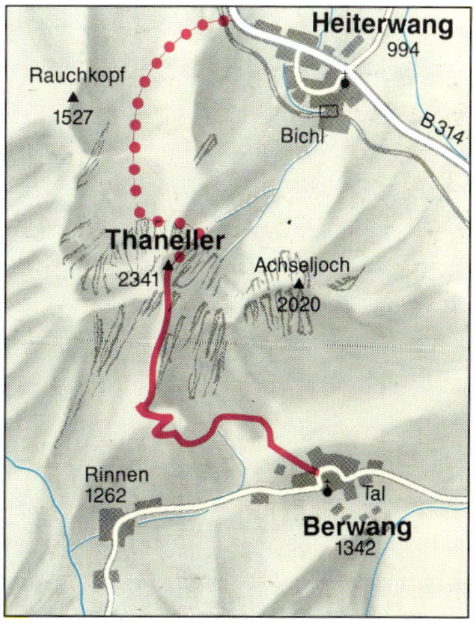

60 NAMLOSER WETTERSPITZE

Vorstoß in die Lechtaler Alpen

GIPFEL
Namloser Wetterspitze, 2553 m.

TALORT
Namlos, 1225 m.

AUSGANGSPUNKT
Fallerscheinalpe, 1302 m.

ANFAHRT
a) mit dem Auto: Über Garmisch und Grenzübergang Griesen nach Ehrwald und Bichlbach, dort über Berwang und Rinnen nach Namlos. 1½ km hinter Namlos zweigt links der schmale, zuletzt geschotterte Fahrweg zur Fallerscheinalpe ab. Parkmöglichkeiten.
b) mit Bahn/Bus: Keine Verbindung.

GEHZEITEN
Von der Fallerscheinalpe über den Ochsenboden 4 Std.; Abstieg vom Gipfel zur Fallerscheinalpe 2½ Std. Gesamtgehzeit: 6½ Std.

SCHWIERIGKEIT
Gut begehbarer, bezeichneter Steig über vorwiegend freies Gelände.

HÜTTEN/EINKEHR
Am Anstiegsweg keine. Zwei Jausenstationen auf der Fallerscheinalpe.

KARTE
Amtliche österreichische Karte 1:50 000, Blatt 115 „Telfs".

Die Namloser Wetterspitze aus dem Sommerbergtal.

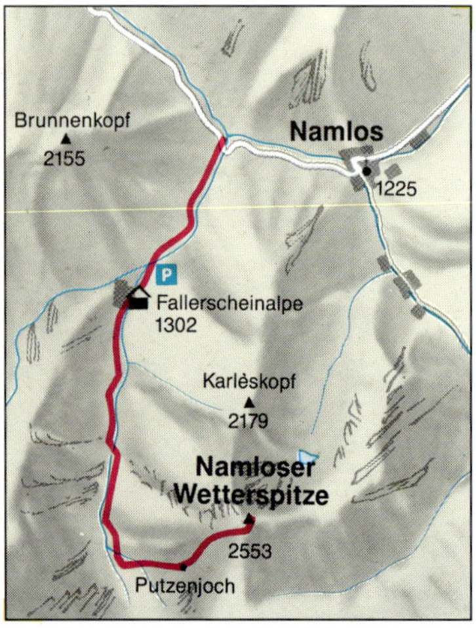

Mit einem Gebiet von über 1000 Quadratkilometer Fläche und dem einzigen Dreitausender der Nördlichen Kalkalpen, der Parseierspitze, über 150 selbständigen Gipfeln, 20 Alpenvereinshütten und einem gut erhaltenen Wegesystem aus früheren, almintensiven Zeiten, stellen die Lechtaler ein Wanderdorado dar. Das war nicht immer so. Die alpine Erschließung dieser ausgedehnten Berglandschaft wurde – im Vergleich zu den anderen Gebirgsgruppen – relativ spät begonnen. Erst in den 80er Jahren des letzten Jahrhunderts begann Anton Spiehler seine umfangreiche Darstellung der Lechtaler Alpen. Doch auch heute gilt noch: Die Lechtaler Alpen sind – im Vergleich mit den benachbarten Gebirgsgruppen – immer noch ein Refugium für die Bergwanderer, die die Einsamkeit stiller Gebirgstäler, einsamer Kare und selten bestiegener Gipfel über alles schätzen.

Die Lechtaler Alpen, die darüber hinaus auch für ihren Formenreichtum und ihre Blumenpracht berühmt sind, weisen gleich zwei Wetterspitzen – sprich Wettermacher! – auf: die Lechtaler (Holzgauer) und die Namloser Wetterspitze; wobei die um über 300 Meter höhere Lechtaler Wetterspitze aufgrund ihres weiten Anfahrtsweges hintanstehen muß. Falls wir uns – aus naheliegenden Gründen – also von Norden aus in die Lechtaler vorwagen, treffen wir zuerst auf den reizvollen kleinen Ort Namlos, der unserem Gipfelziel auch den Namen gegeben hat, wenngleich die „heutige" Bedeutung in die Irre führt; sein Name leitet sich entweder aus dem Rätoromanischen oder Mittelhochdeutschen ab und reicht in seiner Bedeutung von „Himbeeren" bis „tüchtig". Also viel Platz für Interpretationen.

Als der abwechslungsreichste Anstieg auf die Namloser Wetterspitze, die nach Norden mit einer abschreckenden, zerklüfteten Felswand abfällt, gilt der Weg über die Anhalter Hütte, die wir von Namlos durch das Brentersbachtal erreichen können. Von dort führt ein Teilstück des Anhalter Höhenweges durch die Südseite des Gipfels. Wir Tagesausflügler bevorzugen jedoch den schnellen Aufstieg über seine Südwesthänge von der Fallerscheinalpe aus. Obwohl die Lechtaler Alpen mit Hütten durchaus reich versehen sind, müssen wir bei dieser Tour unseren Rucksack mit ausreichend Proviant versehen.

Vom Südende der Fallerscheinalpe, die sich bereits durch zahlreiche Ferienhäuschen „verschönt" darstellt, wandern wir auf Bergweg, dem Sommerbergbach immer Richtung Süden folgend, über den Ochsenboden zum Teil durch Wald hinauf zum Sommerberg und zur gleichnamigen Alp. Gleich hinter ihr wendet sich der Weg Richtung Osten und leitet uns hinauf über Almböden zum Putzenjoch (2090 m), wo wir auf den Anhalter Höhenweg treffen. Hier macht unser Steig einen scharfen Knick, und wir steigen links über Böden und Schrofen in nordöstlicher Richtung hinauf zum Gipfel. Oben angekommen, fällt es uns nicht schwer zu begreifen, warum die Namloser Wetterspitze trotz ihrer im Vergleich zu den zahlreichen sie überragenden Gipfeln der Lechtaler einen besonderen Platz genießt: Die Aussicht ist grandios.

61 JOCHBERG

Aussichtsberg zwischen zwei Alpenseen

GIPFEL
Jochberg, 1565 m.

TALORT
Kochel am See, 605 m.

AUSGANGSPUNKT
Kesselberghöhe, 850 m.

ANFAHRT
a) mit dem Auto: Von Norden über die Garmischer Autobahn bis Ausfahrt Kochelsee, dann über Kochel am See auf der Kesselbergstraße zum höchsten Punkt (850 m); dort mehrere Parkplätze.
b) mit Bahn/Bus: Mit der Oberlandbahn bis Kochel am See, dann mit Bus zur Kesselberghöhe.

GEHZEIT
Von der Kesselberghöhe zum Jochberg 2 Std., Abstieg zur Jocheralm 0,25 Std., Rückkehr über Sachenbach zum Ausgangspunkt 2 Std. Gesamtgehzeit: 4,25 Std.

SCHWIERIGKEIT
Wanderung auf schmalem, aber gut begehbaren Bergsteig, beim Abstieg jeweils Passage auf Forststraße und gesperrtem Fahrweg. Auch für Kinder gut geeignet.

HÜTTEN/EINKEHR
Jocheralm, 1381 m (private Almhütte mit Terrasse und einfacher Bewirtschaftung, keine Übernachtung).

KARTE
Topographische Karte 1:50 000, Sonderblatt „Bad Tölz und Umgebung" (BLVA).

Am Jochberg über dem Walchensee kommen alle Bergwanderer auf ihre Kosten: die Freunde von Panorama-Aussichten, die Jochbummler - wobei hier aber ein leichter Gipfel gemeint ist - und diejenigen, die gerne auf einer gemütlichen Alm einkehren. Und wer mit der ganzen Familie unterwegs ist: Bei der Alm gibt es sogar für die Kinder einen kleinen Spielplatz mit Schaukel.

Am Parkplatz an der Kesselbergstraße überqueren wir zuerst die Fahrstraße und folgen dann der Ausschilderung zur Jocheralm. Zunächst steigen wir über ein paar Treppen durch einen lichten Mischwald hinauf. Etwas oberhalb geht der anfangs breitere Weg in einen schmalen, steilen Bergsteig über. Eine Stunde lang steigen wir in Serpentinen höher, bis wir nach rechts schwenkend, eine Schulter im westlichen Ausläufer des Jochbergs gewinnen. Hier halten wir uns nun links (rechts führt der Weg nahezu eben durch Wald direkt zur Jocheralm, die wir von der Wegverzweigung in einer Viertelstunde erreichen könnten, falls uns nicht der Sinn nach Gipfel steht). Unser Weg führt noch ein Stück durch Wald, dann haben wir den Westgrat des Jochbergs erreicht. Jetzt ist die Sicht frei hinab zur Kesselbergstraße und zum Kochelsee und hinaus aufs Alpenvorland, denn hier bricht der Fels nun steil ab. Der Blick zurück bietet uns ein herrliches Karwendelpanorama und einen Tiefblick auf den großen Walchensee. Wir wandern nun am Grat entlang weiter und gelangen bald zum höchsten Punkt mit dem großen hölzernen Gipfelkreuz.

Auf der Terrasse der Jocheralm ist – besonders am Wochenende – immer Betrieb. Auch für Kinder ist gesorgt: Ein kleiner Spielplatz mit Schaukel läßt sie schnell den steilen Anstieg vergessen.

Auf dem Anstiegsweg dann ein Stück zurück, bis links der Pfad hinab zur bereits sichtbaren Jocheralm abzweigt. Nach der Einkehr folgen wir zunächst dem breiten Fahrweg rechts in Richtung Süden, von dem nach einer knappen Viertelstunde ebenfalls rechts ein Steig abzweigt. Auf diesem dann teilweise recht steil in zahlreichen Serpentinen durch Wald direkt hinab zum Walchensee, den wir beim Weiler Sachenbach erreichen. Dort folgen wir rechts dem gesperrten Fahrsträßchen zur Kesselbergstraße, halten uns dort rechts und erreichen nach wenigen Minuten unseren Parkplatz beim Ausgangspunkt.

Blick vom Walchensee-Südufer auf den von dieser Seite ebenmäßig geformten Gipfel des Jochbergs. Der Anstieg führt von der Einsenkung auf der linken Seite über die weitgehend bewaldete südwestliche Bergflanke. Der Gipfelbereich ist frei und damit bietet sich von dort oben eine phantastische Rundsicht.

62 SOIERNRUNDE

Eine königliche Tour im Karwendel

GIPFEL
Soiernspitze, 2257 m.
Schöttelkarspitze, 2049 m.

TALORT
Krün, 875 m.

AUSGANGSPUNKT
Parkplatz auf der Nordostseite von Krün, nach der Brücke über dem Isarbett.

ANFAHRT
a) mit dem Auto: Über die Garmischer Autobahn bis Ausfahrt Kochel und über die Kesselbergstraße bzw. über Garmisch-Partenkirchen nach Krün im oberen Isartal. In Ortsmitte in Richtung Osten zur Brücke über das Isarbett. Dort Parkmöglichkeit.
b) mit Bahn/Bus: Mit der Bahn über Garmisch-Partenkirchen in Richtung Mittenwald bis zum Haltepunkt Klais; von dort mit Bus oder zu Fuß nach Krün.

GEHZEITEN
Von Krün hinauf zum Soiernhaus 2,5 Std.; Anstieg auf die Soiernspitze über die Reißende-Lahn-Scharte 2 Std.; Übergang von der Soiernspitze zur Schöttelkarspitze 1,5 Std.; Abstieg nach Krün 3 Std. Gesamtgehzeit: 9 Std. Unbedingt eine Übernachtung einplanen, falls man die ganze Runde gehen will.

SCHWIERIGKEIT
Zu Beginn auf Forstweg; kurze, etwas ausgesetzte Passagen, ansonsten bequem begehbare, markierte Bergpfade. Ausdauer erforderlich. Im Hochsommer heiß!

HÜTTEN/EINKEHR
Fischbachalm, 1403 m (privat, im Sommer einfach bewirtschaftet). Soiernhaus, 1613 m (AV-Hütte, bewirtschaftet von Pfingsten bis Anfang Oktober, 60 Lager; Tel. 0171/546 58 58).

KARTE
Topographische Karte 1:50 000, Sonderblatt „Karwendelgebirge" (BLVA).

Der bayerische Anteil am Karwendelgebirge ist relativ klein, doch die Soierngruppe zählt dafür zu den besonderen Berglandschaften unter dem weißblauen Himmel. Es herrscht dort eine reizvolle Harmonie zwischen rauher Bergwelt und „milden" Landschaftselementen. Im wesentlichen tragen dazu die ansehnlichen Soiernseen bei, die das Kar unter dem Soiernhaus zu einem besonderen Anblick machen. An den Nordufern der Seen spiegeln sich die aus dem Tal herauswachsenden Wälder, an den Südufern schlagen die Wellen an die von den Gipfeln herunterziehenden Geröllhalden. Ein herrlicher Platz zum Verweilen. Bereits König Ludwig II., der „Märchenkönig", der eine Vorliebe für idyllische Berglandschaften hatte, wählt sich diese Berggruppe zum Jagdrevier und ließ sich bei Vollmond oder bei Kerzenschein auf dem Soiernsee herumrudern. Die Soiernhäuser waren damals königliche Jagdhäuser, wobei das untere Haus den Lakaien (daher der Name Lakaiensteig, der den anspruchsvolleren der beiden Hüttenzustiege bezeichnet), das obere den Jagdherren vorbehalten war.
Von Krün wandern wir zunächst auf einer Forststraße in nordöstlicher Richtung hinauf zur Fischbachalm, die sich auf der Ostseite der Gruppe auf einer Höhe von 1503 Meter befindet. Zum Soiernhaus können wir von hier aus auf zwei verschiedenen Wegen gelangen: entweder auf dem ehemaligen Reitweg durch den Hundsstall (der mit etwas Höhenverlust verbunden ist) oder - etwas schwieriger, aber interessanter - über den sogenannnten Lakaiensteig westlich davon in der Bergflanke. Bei der Umrundung des Soiernkessels, die wir am besten nach einer Übernachtung im Soiernhaus in Angriff nehmen, handelt es

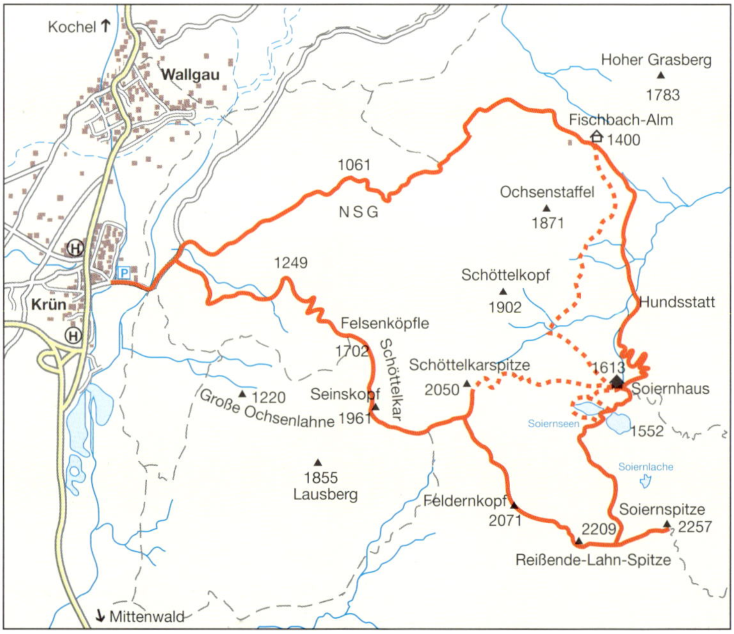

sich um eine der klassischen Bergwanderungen in den Bayerischen Alpen. Um auf die Soiernspitze, dem höchsten Gipfel dieser Runde, zu gelangen, nehmen wir den Steig durch die Nordflanken, der zwischen der Soiern- und der Reißenden-Lahn-Spitze zur Soiernscharte hinauf führt. Von dort machen wir dann den Abstecher zur Soiernspitze. Anschließend wandern wir auf dem nachstehend beschriebenen Höhenweg in Richtung Schöttelkarspitze. Dann geht es auf problemlosem Steig stets südseitig unter der Reißenden-Lahn-Spitze und dem Feldernkopf vorbei und über weitläufiges Wiesengelände zum Feldernkopf (2071 m). Der Abstecher auf die Schöttelkarspitze (2050 m) dauert nicht lange, und er ist auch nicht übermäßig schwierig, obwohl er durch Felsgelände und ausgewaschene Flanken führt. Dann kehren wir wieder zurück zum Feldernkreuz und nehmen von dort den Steig, der über den Seinskopf direkt hinab nach Krün zum Ausgangspunkt führt.
Wem dieser Weg zu steil ist, kann auch von der Schöttelkarspitze gemütlich zu den Soiernhäusern hinunterwandern und dann wieder über die Fischbachalm nach Krün zurückkehren.

Blick vom Übergang zur Krapfenkarspitze in die Soierngruppe. Rechts im Hintergrund der Feldernkopf und die Schöttelkarspitze, links die Soiernspitze, die die Umrahmung des Soiernkessels bilden.

63 HOHE MUNDE

Zweitausend Meter Fels über dem Inntal

GIPFEL
Hohe Munde, 2659 m.

TALORT
Oberleutasch, 1172 m.

AUSGANGSPUNKT
Parkplatz im Ortsteil Obern (1172 m) in Oberleutasch. Oder Talstation des Mundelifts (1200 m) beim Weiler Moos.

ANFAHRT
a) mit dem Auto: Über Garmisch-Partenkirchen und Mittenwald in die Leutasch (1040 – 1160 m), eine langgestreckte Siedlung mit zahlreichen kleinen Orten und Einzelhöfen.
b) mit Bahn/Bus: Von München über Garmisch-Partenkirchen nach Mittenwald; von dort mit Bus in die Leutasch.

GEHZEITEN
Von Obern zur Rauthütte 1,5 Std.; Anstieg zum Ostgipfel 3 Std., Übergang zum Hauptgipfel 30 Min., Abstieg 3 Std. Gesamtgehzeit: 8 Std.
Der Sessellift vom Ortsteil Moos zur Rauthütte verkürzt den Anstieg um 1 bis 2 Stunden.
Evtl. Rückkehr über den Niedere-Munde-Sattel 4 Std.

SCHWIERIGKEIT
Der Anstieg erfolgt zu Beginn auf Forstweg, dem sich ein markierter, einfacher Steig bis zum Ostgipfel anschließt. Der Übergang zum Hauptgipfel (Westgipfel) erfordert Trittsicherheit (einige Seilsicherungen). Achtung: Bei Nebel können Orientierungsprobleme auftreten!
Die Begehung des Westgrates ist anspruchsvoll. Einige Seilsicherungen und Eisenklammern erleichtern jedoch den Abstieg.

HÜTTEN/EINKEHR
Rauthütte, 1605 m (privat, ganzjährig bewirtschaftet, 20 Betten, 30 Lager). Mehrere Gasthäuser im Leutaschtal.

KARTE
Topographische Karte 1:50 000 Sonderblatt „Werdenfelser Land“ (BLVA).

Die Hohe Munde dominiert als gewaltiger Wächter das Leutaschtal, ihr Westgipfel erhebt sich sogar mehr als 2000 Meter über dem Inntal. Getrennt durch den Niedere-Munde-Sattel führt er ein gewisses Eigenleben gegenüber dem Hauptstock der Mieminger Berge. Bei Hermann von Barth, dem großen Erschließer der Nördlichen Kalkalpen, ist die Hohe Munde noch ein Maskulinum und er verweist dabei auch auf den sprachlichen Gebrauch der Einheimischen, die diesen Berg auch als Telfser Munt'n bezeichnen. Ein gewisses Aufsehen errregt vor einigen Jahren ein Kunstspektakel, das der Tiroler Theatermacher Felix Mitterer auf der Hohen Munde veranstaltete.

Da wir im günstigsten Fall immerhin 1400 Höhenmeter aus dem Leutaschtal bis zum Ostgipfel zu bewältigen haben, ist die Benutzung des Sessellifts zur Rauthütte schon legitim. Falls wir jedoch unsere Tour im Tal beginnen wollen, wählen wir den markierten Weg, der vom Leutascher Ortsteil Obern durch Wald hinauf zur ganzjährig bewirtschafteten Hütte führt. Wir befinden uns hier bereits oberhalb der Baumgrenze und ihre vorgeschobene Lage auf einem Felsabsatz ermöglicht uns einen herrlichen Tiefblick auf das Leutaschtal. Bald befinden wir uns oberhalb der Waldgrenze und schlendern aussichtsreich, aber bei intensiver Sonne auch schweißtreibend, zuerst durch eine flache, dann immer steiler werdende Wiesenmulde hinauf zum Aussichtspunkt „Jöchl“. Durch Latschen und den schottrigen Gipfelhang geht es dann in zahlreichen Serpentinen hinauf zum Ostgipfel (2592 m). Hier können wir die Tour beenden, wie es die meisten Bergwanderer halten, oder wir wagen noch den ausgesetzten Übergang zum Westgipfel dieses wuchtigen Gipfelmassivs. Vom weiten Gipfeldach queren wir dann westwärts über einen steinigen Pfad hinunter in die Einsenkung zwischen beiden Gipfeln, wo über das „Steinerne Manndl“, einen schmalen Grat, der höchste Punkt erreicht wird.

Der Abstieg erfolgt in der Regel auf dem Anstiegsweg über die Raut-

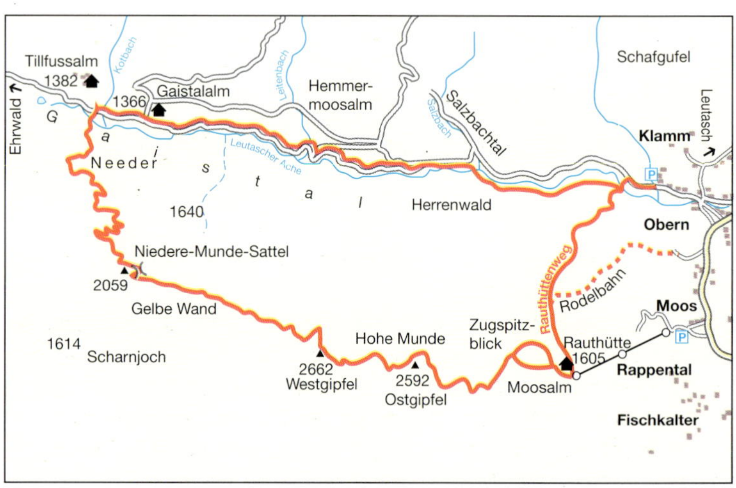

hütte. Nach einem heißen Tag gondeln wir sicher gerne die letzten Meter mit dem Lift talwärts.
Eine abwechslungsreiche und anspruchsvolle Tour ist die gesamte Überschreitung des Berges, die uns über den steilen, zum Teil mit Seilen gesicherten Westgrates hinab zum Niedere-Munde-Sattel (2055 m) führt. Der weitere Abstieg ins Gaistal zur Gaistalalm ist dann wieder leicht. Auf Almfahrwegen schlendern wir von dort hinaus zu unserem Ausgangspunkt im Leutascher Ortsteil Obern.

Blick von der Hohen Munde in Richtung Westen. Rechts im Hintergrund die Zugspitze, dahinter der Doppelgipfel von Daniel und Upsspitze. Links im Bild – über den Niedere-Munde-Sattel hinweg – Hochwand und Hochplattig.

64 LABER UND ETTALER MANNDL

Ein Weg für Genießer mit Kletterfinale

GIPFEL
Laber, 1690 m.
Ettaler Manndl, 1633 m.

TALORT
Oberammergau, 837 m.
Ettal, 877 m.

AUSGANGSPUNKT
Wanderparkplatz in Ettal bzw. Talstation der Laberbahn in Oberammergau.

ANFAHRT
a) mit dem Auto: Auf der Garmischer Autobahn bis zum Ende, dann auf der B 23 weiter nach Oberau, dort rechts hinauf nach Ettal, vor der Klostermauer rechts zum Ende der Straße; dort Parkplatz. Oder: weiter nach Oberammergau; alternativ: Ausfahrt Murnau/Kochelsee, dann über Murnau und Bad Kohlgrub nach Oberammergau. Parkplatz an der Laberbahn-Talstation.
b) mit Bahn/Bus: Mit der Bahn über Weilheim direkt nach Oberammergau. Dann zu Fuß oder mit Ortsbus zur Talstation.

GEHZEIT
Von Ettal auf das Ettaler Manndl 2,25 Std., Abstieg ins Tal 1,5 Std. Übergang vom Laber zum Ettaler Manndl 0,5 Std., Abstieg nach Oberammergau 2 Std. Gesamtgehzeit: 3,75 Std. bzw. 2,5 Std.

SCHWIERIGKEIT
Leichte Bergwanderwege am Laber, auch der Anstieg zum Ettaler Manndl von Ettal aus ist leicht, lediglich der Gipfelaufbau erfordert Trittsicherheit und Schwindelfreiheit (Eisenkette zur Sicherung).

HÜTTEN/EINKEHR
Laber-Gipfelhaus , 1686 m (Bergrestaurant, nur während der Betriebszeit der Bahn geöffnet).

KARTE
Topographische Karte 1:50 000, Sonderblatt „Pfaffenwinkel, Staffelsee und Umgebung" (BLVA).

Vom Gipfel des Ettaler Manndls bietet sich ein grandioses Panorama. Hier der Blick nach Südwesten über die Notkarspitze hinweg auf das Wettersteingebirge.

Der erste Bergrücken, der uns bei der Fahrt von Norden ins Werdenfelser Land auf der rechten Seite ins Auge fällt, ist der dicht bewaldete Laberberg. Ganz oben, in der Mitte, weist ein kleiner steiler Felszahn in Richtung Himmel: Das ist das Ettaler Manndl. Es ist zwar nicht die höchste Erhebung an diesem Bergrücken, dafür aber die markanteste. Der höchste Punkt gehört dem Labergipfel, der das ganze Jahr über Saison hat. Denn von Oberammergau führt eine Gondelbahn hinauf. Im Sommer sind es die Wanderer, Gleitschirmpiloten und Drachenflieger, im Winter die Skifahrer, die an diesem Berg ihr Vergnügen suchen. Wer sich also einige Höhenmeter sparen will, startet diese Tour im bekannten Passionsspielort, wer es etwas ruhiger angehen will, beginnt seine Wanderung im Klosterort Ettal. Den fälligen Klosterlikör genießen wir allerdings erst nach der Rückkehr, denn an den Felsen des Ettaler Manndls ist Trittsicherheit und Schwindelfreiheit unbedingt gefordert.

Vom Parkplatz am Bergfuß rechts oberhalb des Klosters wandern wir zunächst auf schattigem, markierten Forstweg in den Tiefentalgraben hinein. Dann aber geht es im tiefen Bachgraben steil aufwärts zu einer Hütte. Aussicht ist hier noch keine geboten, die kommt erst später, aber dann in aller Fülle. Im weiteren Verlauf des Weges halten wir uns links und steigen in zahlreichen Kehren bis an den Fuß der steil aus dem Wald herausragenden Gipfelfelsen hinauf. Dort quert der Wanderweg, der nahezu eben von der Laber-Bergstation herüberführt. Auf diesem Weg halten wir uns nun rechts und gehen an den Felsen entlang zum Einstieg des kurzen Klettersteigs. Dieser leitet uns dann hinauf zum felsigen Gipfel, wobei uns eine Eisenkette und einige Eisenstifte den Aufstieg erleichtern. Das dort oben gebotene Panorama ist beachtlich: Da wir uns am direkten Alpenrand befinden, haben wir einen ungehinderten Blick ins weite Oberland im Norden, unter uns sehen wir das Viereck der Klostermauern mit der gewaltigen Klosterkirche. Und im Südosten leuchten die gewaltigen Felsen des Wettersteingebirges herüber. Der kleine Soilesee direkt unter uns wird dann vielleicht unser nächstes Zwischenziel sein, bevor wir wieder dem Tal zustreben.

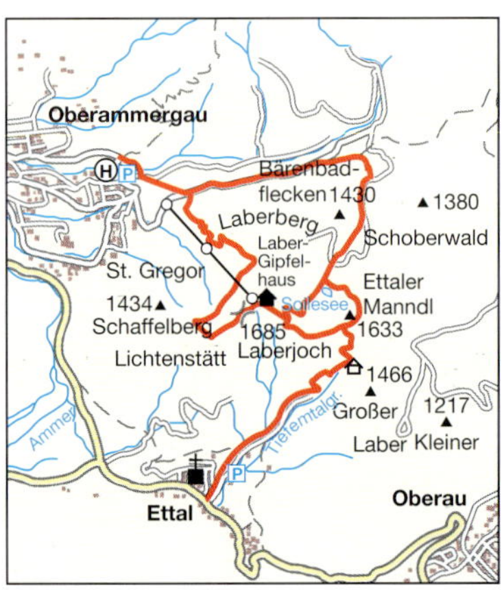

Für den Abstieg wählen wir nun – je nach Ausgangspunkt – die passende Route. Wir steigen entweder wieder direkt hinab nach Ettal oder wandern zurück zur Bergstation. Wer genügend Zeit hat, umrundet den Gipfelaufbau und wandert hinab zum Soilesee und folgt dann dem breiten Fahrweg hinab nach Oberammergau.

65 HOCHPLATTE

Ein luftiger Steig mit Felsenfenster

GIPFEL
Hochplatte, 2082 m.

TALORT
Graswang, 866 m.

AUSGANGSPUNKT
Parkplatz in Ammerwald bzw. Kenzenhütte.

ANFAHRT
a) mit dem Auto: Auf der Garmischer Autobahn bis Oberau, dann rechts nach Ettal und durch das Graswangtal bis kurz vor das Alpenhotel Ammerwald, 4 km hinter der österreichischen Grenze. Der Wanderparkplatz befindet sich 500 Meter davor.
b) mit Bahn/Bus: Mit der Bahn bis Oberammergau, dann mit Bus bis zum Ausgangspunkt.

GEHZEITEN
Von Ammerwald über das Weitalpjoch auf die Hochplatte 3 Std., Abstieg über den Westgrat 2 Std. Gesamtgehzeit: 5 Std. Die Route über die Kenzenhütte ist etwas kürzer, wobei natürlich der Hüttenbus (Abfahrt in Halblech) eingeplant werden muss.

SCHWIERIGKEIT
Im Gipfelbereich gesicherter Bergsteig, der Trittsicherheit und Schwindelfreiheit voraussetzt, ansonsten leichte Bergwege. Wenig Schatten. Der Abstieg über den Westgrat setzt Bergerfahrung voraus.

HÜTTE/EINKEHR
Unterwegs keine. Alpenhotel Ammerwald, 1075 m (Privatgasthaus, 170 Betten, ganzjährig bewirtschaftet); Kenzenhütte, 1285 m (Privathütte, 120 Lager, von Pfingsten bis Mitte Oktober bewirtschaftet).

KARTE
Topographische Karte 1:50 000, Sonderblatt „Füssen und Umgebung" (BLVA).

Die Hochplatte überragt mit ihren 2082 Metern Höhe alle anderen Gipfel der nordwestlichen Ammergauer Alpen um ein gutes Stück. Der geläufigste Anstieg ist sicher der von Norden über die Kenzenhütte – denn dort befindet sich die einzige Einkehrmöglichkeit im Bereich der Hochplatte. Zudem ist die Kenzenhütte auch mit einem Kleinbus erreichbar, spart also Höhenmeter. Wer aber eine einsamere Variante vorzieht, der ist mit dem Aufstieg aus dem Graswangtal recht gut bedient. Und auf dem Heimweg haben wir dann noch Gelegenheit Schloss Linderhof oder Ettal einen Besuch abzustatten. Der Gipfel selbst hat jedoch in den letzten Jahren eine Aufwertung erfahren und gilt mittlerweile als attraktives und gut besuchtes Gipfelziel mit einigen anspruchsvollen Passagen, die jedoch mit Stahlseilen und Stiften gesichert sind. Trittsicherheit und Schwindelfreiheit muß man aber schon mitbringen, um flatternde Knie zu vermeiden. Besonders die Route über den Westgrat erfordert etwas Erfahrung .

Beim Parkplatz vor dem Hotel Ammerwald zweigt rechts ein Fahrweg ab, der uns zunächst durch Wald bis an den Eingang des Roggentals führt. Wir wandern durch das tiefeingeschnittene Bachtal höher – überqueren dabei mehrmals den Bach –, bis wir nach einer guten Stunde Gehzeit zu einer Wegverzweigung kommen. Jetzt befinden wir uns bereits auf einer Höhe von 1466 Metern. Dort halten wir uns rechts und steigen weiter über freies Gelände hinauf zum Weitalpjoch (1780 m), biegen dann leicht abwärts rechts um einen Kopf herum und halten uns dann wieder links (in Richtung Westen). Rechts lassen

Das Felsenfenster auf der Westseite der Hochplatte, im Sattel zwischen Hochplatte und Krähe. Von dort führt der Abstiegsweg dann links hinab in Richtung Roggental.

wir das sogenannte „Schlössl“ liegen und wandern nun hinauf zu den Karrenfeldern, die sich weit den Ostgipfel hinaufziehen. Auf steilem und schmalem Pfad steigen wir weiter an, passieren die Wiesenmulde des „Gamsängerls“ und lassen uns zuletzt über einen mit Eisenstangen und Stahlseilen gesicherten Grat hinauf zum höchsten Punkt leiten, wobei wir uns jedoch nicht von der herrlichen Aussicht links und rechts der Route ablenken lassen sollten. Die genießen wir erst auf dem felsigen Gipfel.

Geübten Bergwanderern bietet sich von hier der aufregende Abstieg über den Westgrat an, alle anderen benutzen für die Rückkehr den Anstiegsweg über das Weitalpjoch.

Vom Gipfel folgen wir also dem steil abfallenden Westgrat, turnen über den drahtseilgesichertem Steig zur Westschulter hinab und gelangen so zum doppelten Felsenfenster, das sich auf einer Höhe von 1916 Metern befindet. Bei der Wegverzweigung halten wir uns links und steigen hinab zur Gabelung des Roggentals. Über ein weites Kar auf der Südseite der Hochplatte gelangen wir dann zu der Wegverzweigung, die wir bereits beim Anstieg berührt haben. Durch das lange Roggental schlendern wir dann gemütlich hinaus zu unserem Ausgangspunkt in Ammerwald.

Der Gipfelgrat der Hochplatte weist einige ausgesetzte Stellen auf; passagenweise sind diese auch mit Stahlseilen gesichert.

66 ROTE FLÜH

Ein Abstecher in die Tannheimer Berge

GIPFEL
Rote Flüh, 2111 m.

TALORT
Nesselwängle, 1136 m.

AUSGANGSPUNKT
Parkplatz am westlichen Ortsende bzw. Ortsmitte von Nesselwängle (bei Anfahrt mit Bus).

ANFAHRT
a) mit dem Auto: Über Füssen nach Reutte im Lechtal und weiter nach Weißenbach am Lech. Dort rechts über den Gaichtpaß hinauf nach Nesselwängle. Oder über Pfronten und Grän dorthin. Parkplatz am westlichen Ortsende (etwa 1 km).
b) mit Bahn/Bus: Mit Bahn bis Reutte, dann weiter mit Bus nach Nesselwängle.

GEHZEITEN
Von Nesselwängle zum Gimpelhaus 1,5 Std., Anstieg auf die Rote Flüh von dort 1,5 Std.; Rückweg über die Tannheimer Hütte und Abstieg ins Tal. 2 Std. Gesamtgehzeit: 5 Std.

SCHWIERIGKEIT
Bis zum Gipfelfuß leichte Bergwanderwege. Auf der Südseite des Gimpels wird jedoch vor Steinschlag gewarnt (besser: Variante benutzen). Anstieg zum Gipfel von der Judenscharte auf Bergsteig mit Seilsicherungen und einigen Felsstufen. Trittsicherheit und Schwindelfreiheit erforderlich.

HÜTTEN/EINKEHR
Tannheimer Hütte, 1760 m (AV-Hütte, 22 Plätze, bewirtschaftet von Anfang Mai bis Ende Oktober; Tel. 0043/663/56503). Gimpelhaus, 1720 m (privat, 260 Plätze, bewirtschaftet von Anfang Mai bis Allerheiligen; Tel. 0043/5675/8251).

KARTE
Topographische Karte 1:50 000, Sonderblatt „Füssen und Umgebung" (BLVA).

Die Rote Flüh dominiert mit seinen prallen Südwänden das östliche Tannheimer Tal. Die warmen Felswände, die für Bergwanderer von dieser Seite aus so unerreichbar ausschauen, sind fast das ganze Jahr über eine Spielwiese der Felskletterer. Trittsichere und schwindelfreie Bergsteiger überschreiten die Rote Flüh auf der beliebten Route vom Füssener Jöchl zur Judenscharte über den Friedberger Klettersteig. Wer es gern weniger anspruchsvoll mag, wandert von Nesselwängle hinauf, denn zwischen Gimpel und Roter Flüh liegt das weite Gimpelkar, durch das der unschwierige Normalweg führt. Erst am Gipfelaufbau gibt es eine kleine Herausforderung.

Von der Ortsmitte von Nesselwängle wandern wir zunächst links um die Kirche herum und hinauf zum Hotel Berghof. Dort kurz nach rechts bis uns ein Wegweiser nach links zum Gimpelhaus weist. Diesem folgen wir nun bergwärts bis zu einer querführenden Forststraße (hier

Die gemütliche kleine Tannheimer Hütte. Im Hintergrund der Gimpel.

mündet auch die Route vom Parkplatz am westlichen Ortsende ein). Vor der Brücke links und gleich wieder rechts und auf Forstraße bis zu deren Ende in einem trockenen Bachtal. Dort beginnt links der serpentinenreiche, steile Steig durch Wald und Kahlschlag hinauf zum Gimpelhaus, das an einem unvergleichlichen Aussichtspunkt steht. Rechts am großen, schindelverkleideten Haus vorbei und auf dem eben weiterführenden Wanderweg bis zu einer Wegverzweigung. Hier steigen wir links durch Wald an und gelangen so ins Gimpelkar (der rechte Weg führt hinüber zur nahen und gemütlichen Tannheimer Hütte, der wir bei unserer Rückkehr einen Besuch abstatten wollen). Im weiten Kar nehmen wir dann den unteren Weg hinauf zur Judenscharte, um vor Steinschlag sicher zu sein. Nach der etwas mühevollen Querung wird es wieder abwechslungsreicher. Direkt vor den Felsen führt unser Weg nun links über eine gesicherte Passage und über ein paar künstliche Felstritte hinauf in Richtung Gipfel. Das letzte Stück bis zum Gipfelkreuz führt dabei wieder über leichtes Gelände. Der überraschende Tiefblick auf den Haldensee auf der linken und auf die steile Westwand des Gimpels auf der rechten Seite macht uns klar, warum die Rote Flüh zu den beliebtesten Zielen in den Tannheimer Bergen gehört: Die Aussicht ist grandios. Wer also einmal Kletterer aus nächster Nähe betrachten will, ist hier goldrichtig, denn entweder tauchen sie unvermittelt am Gipfelkreuz auf oder wir betrachten sie aus naher Distanz am Westgrat des Gimpels.

Der Abstieg erfolgt dann wieder auf dem Anstiegsweg, wobei wir jedoch mit einem kleinen Schlenker nach links bei der Tannheimer Hütte vorbeischauen, bevor wir wieder ins Tal absteigen.

Blick über das Gimpelkar nach Westen. Der Einschnitt im Hintergrund ist die Judenscharte. Von dort beginnt der eigentliche Gipfelanstieg zur Roten Flüh. Um Steinschlaggefahr zu vermeiden, umgeht man das Kar und folgt dem Pfad, der links unterhalb das Geröllfeld umgeht.

HÜTTENÜBERSICHT

Die Angabe der Hüttenbewirtschaftungszeiten erfolgt unter Vorbehalt, da sie besonders zu Beginn und Ende der Bergwandersaison stark von den Wetterverhältnissen bestimmt wird. Bei den Hütten, wo eine Übernachtung möglich ist, wurde die Zahl der Plätze (Betten und Lager) sowie die Telefonnummer angegeben. Bei allen anderen wurde nicht weiter darauf verwiesen und auf die Angabe der Telefonnummer verzichtet.
(AV = Alpenverein; TVN = Touristenverein „Die Naturfreunde"). Einkehrmöglichkeiten im Tal sind nicht aufgeführt.

Aiblinger Hütte, 1311 m (AV-Selbstversorgerhütte, 45 Plätze, von Mitte März bis Ende Dezember an Wochenenden geöffnet). Tour 25.

Alpeltalhütte, 1100 m (TVN-Haus, 42 Plätze, bewirtschaftet von Weihnachten bis Ende Oktober; Tel. 08652/63077). Tour 4.

Ankelalm, 1300 m (privat, während der Weidezeit einfach bewirtschaftet). Tour 27.

Anton-Karg-Haus, 829 m (AV-Haus, 105 Plätze, bewirtschaftet von Anfang Mai bis Ende Oktober; Tel. 0043/5372/62578). Tour 21.

Arthurhaus, 1502 m (Berghotel, privat, 60 Plätze, ganzjährig bewirtschaftet; Tel. 0043/6467/7202). Tour 1.

Bad Kissinger Hütte, 1792 m (AV-Hütte, 94 Plätze, bewirtschaftet von Anfang Mai bis Ende Oktober; Tel. 0043/663/925 70 03). Tour 58.

Bayreuther Hütte, 1576 m (AV-Hütte, 75 Plätze, bewirtschaftet von Ende Mai bis Anfang Oktober; Tel. 0043/663/965 85 42). Tour 35.

Bettelwurfhütte, 2079 m (AV-Hütte, 80 Plätze, bewirtschaftet von Mitte Juni bis Mitte Oktober; Tel. 0043/5223/53353). Tour 38.

Blaubergalm, 1500 m (privat, 15 Plätze, durchgehend bewirtschaftet von Anfang Juni bis Anfang Oktober, bis Allerheiligen nur an den Wochenenden; Tel. 0043/663/58779). Tour 33.

Blaueishütte, 1680 m (AV-Hütte, 86 Plätze, durchgehend bewirtschaftet von Ende Mai bis Mitte Oktober, April/Mai und Oktober nur an Wochenenden; Tel. 08657/271). Tour 6.

Bodenschneidhaus, 1365 m (AV-Haus, 52 Plätze, nahezu ganzjährig bewirtschaftet; Tel. 0161/181 52 67). Tour 28.

Branderalm, 1120 m (privat, im Sommer einfach bewirtschaftet). Tour 14.

Brauneckhaus, 1540 m (AV-Haus, 60 Plätze, nahezu ganzjährig bewirtschaftet, im November sowie Mitte April bis Mitte Mai geschlossen; Tel. 08042/8786). Tour 43.

Brünnsteinhaus, 1342 m (AV-Haus, 54 Plätze, nahezu ganzjährig bewirtschaftet; Tel. 08033/1431). Tour 24.

Brunnenkopfhäuser, AV-Hütte, 25 Plätze, bewirtschaftet von Ende Mai bis Ende Oktober; Tel. 0171/260 20 57). Tour 55.

Brunnsteinhütte, 1560 m (AV-Hütte, 35 Plätze, bewirtschaftet von Mitte Mai bis Mitte Oktober; Tel. 0172/890 96 13). Tour 41.

Buchsteinhütte, 1240 m (Clubhütte, 50 Plätze, nahezu ganzjährig bewirtschaftet; Tel.08029/244). Tour 32.

Coburger Hütte, 1917 m (AV-Haus, 86 Plätze, bewirtschaftet von Mitte Juni bis Mitte Oktober; Tel. 0043/663/55366). Tour 50.

Daffnerwaldalm, 1060 m (privat, 20 Plätze, bewirtschaftet von Anfang Juni bis Ende September; Tel. 0171/421 53 10). Tour 20.

Dalfazalm, 1693 m (privat, im Sommer bewirtschaftet). Tour 36.

Erfurter Hütte, 1834 m (AV-Hütte, 70 Plätze, bewirtschaftet von Mitte Mai bis Mitte Oktober; Tel. 0043/5243/55175). Tour 36.

Fischbachalm, 1403 m (privat, bewirtschaftet von Anfang Mai bis Ende Oktober). Tour 62.

Gaudeamushütte, 1267 m (AV-Hütte, 65 Plätze, bewirtschaftet von Mitte Mai bis Mitte Oktober; Tel. 0043/5358/2262). Tour 22.

Gimpelhaus, 1720 m (privat, 260 Plätze, bewirtschaftet von Anfang Mai bis Allerheiligen; Tel. 0043/5675/8251). Tour 66.

Gindelalm, 1242 m (privat, einige Lager, im Sommer bewirtschaftet). Tour 29.

Gramai-Hochleger-Schutzhütte, 1750 m (privat, 16 Plätze, im Sommer bewirtschaftet; Tel. 0043/5243/5166). Tour 37.

Gruttenhütte, 1619 m (AV-Hütte, 150 Plätze, bewirtschaftet von Anfang Juni bis Mitte Oktober; Tel. 0043/5358/2242). Tour 22.

Gufferthütte (ehem. Ludwig-Aschenbrenner-Hütte), 1465 m (AV-Hütte, 40 Plätze, bewirtschaftet von Anfang Juni bis Ende Oktober; Tel. 0161/181 58 87). Tour 34.

Hallerangerhaus, 1768 m (AV-Haus, 96 Plätze, bewirtschaftet von Anfang Juni bis Mitte Oktober; Tel. 0043/5213/5326). Tour 38.

Die Erfurter Hütte

Heimgartenhütte, 1780 m (privat, im Sommer einfach bewirtschaftet). Tour 45.

Herzogstandhäuser, 1575 m (privat, 63 Plätze, ganzjährig bewirtschaftet; Tel. 08851/234). Tour 45.

Hirschberghaus, 1544 m (privat, 55 Plätze, nahezu ganzjährig bewirtschaftet, im Winter jedoch keine Übernachtung; Tel. 08029/465). Tour 31.

Hochalm, 1330 m (private Jausenstation, im Sommer und während der Skitourensaison einfach bewirtschaftet). Tour 11.

Hochalphütte, 1509 m (privat, 35 Plätze, nahezu ganzjährig bewirtschaftet; Tel. 08363/1654). Tour 58.

Hochfellnhaus, 1671 m (privat, bewirtschaftet von Mai bis Ende Oktober). Tour 15.

Hochgernhaus, 1510 m (privat, 30 Plätze, bewirtschaftet von Anfang Mai bis Ende Oktober; Tel. 08641/61919). Tour 16.

Hochrieshaus, 1569 m (AV-Haus, 64 Plätze, ganzjährig bewirtschaftet; Tel. 08032/8210). Tour 19.

Höllentalangerhütte, 1387 m (AV-Hütte, 118 Plätze, bewirtschaftet von Anfang Juni bis Mitte Oktober; Tel. 08821/8811). Tour 48 und 49.

Hubertushütte, 1585 m (privat, einige Plätze, während der Weidezeit bewirtschaftet; Tel. 0172/862 00 80). Tour 25.

Ingolstädter Haus, 2119 m (AV-Haus, 96 Plätze, bewirtschaftet von Mitte Juni bis Anfang Oktober; Tel. 0043/6582/8353). Tour 3.

Jocheralm, 1381 m (privat, einfach bewirtschaftet von Juni bis Ende September). Tour 61.

Kaindlhütte, 1293 m (privat, 85 Plätze, ganzjährig bewirtschaftet; Tel. 0043/664/530 48 82). Tour 23.

Kallbrunnalmhütte, 1453 m (private Jausenstation, während der Almsaison einfach bewirtschaftet). Tour 3.

Karwendelhaus, 1765 m (AV-Haus, 195 Plätze, bewirtschaftet von Mitte Juni bis Mitte Oktober; Tel. 0043/5213/5623). Tour 39.

Kenzenhütte, 1294 m (privat, 60 Plätze, bewirtschaftet von Mai bis Ende Oktober; Tel. 06368/379). Tour 56 und 65.

Kesselalm, 1278 m (privat, einige Plätze, im Sommer durchgehend, im Winter an Wochenenden bewirtschaftet; Tel. 08028/2602). Tour 25.

Klausen, 1508 m (privat, 26 Plätze, im Sommer die ganze Woche, im Winter nur an Wochenenden bewirtschaftet, Übernachtung während der gesamten Bewirtschaftungszeit jedoch nur am Wochenende; Tel. 0161/182 88 10). Tour 19.

Kampenwandhaus (Münchner Haus), 1500 m (privat, 55 Plätze, Übernachtung nur auf Anfrage, ganzjährig bewirtschaftet; Tel. 08052/4543). Tour 17.

Kehlsteinhaus, 1843 m (privat, von Mai bis Ende Oktober bewirtschaftet). Tour 4.

Kührointhütte, 1420 m (privat, 19 Plätze, bewirtschaftet von Anfang Juni bis Ende September; Tel. 08652/7339). Tour 5.

Auf der Ostlerhütte

Lamsenjochhütte, 1953 m (AV-Hütte, 130 Plätze, bewirtschaftet von Pfingsten bis Oktober; Tel. 0043/5244/62063). Tour 37.

Matrashaus (Franz-Eduard-), 2941 m (Österreichischer Touristenklub, 100 Plätze, bewirtschaftet von Mitte Juni bis Ende Oktober; Tel. 0043/6467/7566). Tour 1.

Mitterfeldalm, 1670 m (privat, 92 Plätze, ganzjährig bewirtschaftet; Tel. 0043/663/69 943). Tour 1.

Mitterkaseralm, 1400 m (privat, während der Weidesaison einfach bewirtschaftet). Tour 5.

Münchner Haus, 2962 m (AV-Haus, 34 Plätze, bewirtschaftet von Mitte Mai bis Anfang Oktober; Tel. 08821/2901). Tour 49.

Neue Traunsteiner Hütte, 1570 m (AV-Hütte, 149 Plätze, bewirtschaftet von Anfang April bis Ende Oktober sowie zur Jahreswende; Tel. 08651/1752). Tour 7.

Neureut, Gasthaus, 1263 m (privat, ganzjährig bewirtschaftet, Montag Ruhetag). Tour 29.

Obere Firstalm, 1375 m (privat, 60 Plätze, ganzjährig bewirtschaftet; Tel. 08026/7302). Tour 27 und 28.

Ostlerhütte, 1838 m (privat, 75 Plätze, nahezu ganzjährig bewirtschaftet; Tel. 08363/424). Tour 58.

Passauer Hütte, 2051 m (AV-Hütte, 47 Plätze, bewirtschaftet von Mitte Juni bis Anfang Oktober; Tel. 0043/663/66702). Tour 9.

Pleisenhütte, 1757 m (privat, 25 Plätze, über die Wochenenden ganzjährig bewirtschaftet; Tel. 0043/5213/5491). Tour 40.

Priener Hütte, 1411 m (AV-Hütte, 120 Plätze, ganzjährig bewirtschaftet; Tel. 08057/428). Tour 18.

Purtschellerhaus, 1692 m (AV-Haus, 112 Plätze, bewirtschaftet von Pfingsten bis Mitte Oktober; Tel. 08652/2420). Tour 4.

Rauthütte, 1600 m (privat, 50 Plätze, ganzjährig bewirtschaftet; Tel. 0043/663/56133). Tour 63.

Reichenhaller Haus, 1771 m (AV-Haus, 30 Plätze, bewirtschaftet von Mitte Mai bis Mitte Oktober; Tel. 08651/5566). Tour 12.

Reiseralm, 900 m (private Berggaststätte, 28 Plätze, ganzjährig bewirtschaftet; Tel. 08042/8302). Tour 43.

Riederstein (Galaun), Berggasthaus, 1100 m (im Sommer durchgehend, im Winter nur an Wochenenden bewirtschaftet). Tour 29.

Riemannhaus, 2177 m (AV-Hütte, 140 Plätze, bewirtschaftet von Ende Mai bis Anfang Oktober; Tel. 0043/6582/73300). Tour 2.

Rietzalm, 1160 m (private Jausenstation, im Sommer einfach bewirtschaftet). Tour 21.

Rotwandhaus, 1765 m (AV-Haus, 114 Plätze, nahezu ganzjährig bewirtschaftet; Tel. 08026/7683). Tour 26.

Säulinghaus, 1694 m (TVN-Haus, 60 Plätze, bewirtschaftet von Mitte Mai bis Mitte Oktober; Tel. 0043/5672/29632). Tour 57.

Schärtenalm, 1362 m (privat, einige Lager, im Sommer einfach bewirtschaftet). Tour 6.

Scharitzkehlalm, 1046 m (privat, ganzjährig bewirtschaftet). Tour 4.

Schmidt-Zabierow-Hütte (Von-), 1966 m (AV-Hütte, 73 Plätze, bewirtschaftet von Ende Juni bis Ende September; Tel. 0043/6588/7284). Tour 10.

Schneibsteinhaus, 1670 m (TVN-Haus, 110 Plätze, bewirtschaftet von Weihnachten bis Ende Oktober; Tel. 08652/2596). Tour 4.

Siebenhüttenalm, 836 m (privat, bewirtschaftet von Anfang Mai bis Ende Oktober). Tour 33.

Sillberghaus, 1060 m (privat, ganzjährig bewirtschaftet). Tour 26.

Soiernhaus, 1616 m (AV-Haus, 70 Plätze, bewirtschaftet von Pfingsten bis Mitte Oktober; Tel. 0171/546 58 58). Tour 62.

Spitzsteinhaus, 1263 m (AV-Haus,64 Plätze, ganzjährig bewirtschaftet; Tel. 0043/5373/8167). Tour 19.

Stahlhaus (Carl-von-), 1731 m (AV-Haus, 83 Plätze, ganzjährig bewirtschaftet; Tel. 08652/2752). Tour 4.

Steinlingalm, 1550 m (privat, keine Übernachtung mehr, ganzjährig bewirtschaftet). Tour 17.

Stepbergalm, 1583 m (privat, im Sommer einfach bewirtschaftet). Tour 52.

Stöhrhaus, 1894 m (AV-Haus, 82 Plätze, bewirtschaftet von Ende Mai bis Mitte Oktober; Tel. 08652/7233). Tour 8.

Tannheimer Hütte, 1760 m (AV-Hütte, 22 Plätze, bewirtschaftet von Anfang Mai bis Ende Oktober; Tel. 0043/663/56503). Tour 66.

Tegernseer Hütte, 1650 m (AV-Hütte, 30 Plätze, bewirtschaftet von Mitte Mai bis Mitte Oktober; Tel. 0161/183 63 81). Tour 32.

Tölzer Hütte, 1835 m (AV-Hütte, 95 Plätze, bewirtschaftet von Mitte Mai bis Mitte Oktober; Tel. 0161/181 13 71). Tour 42.

Toni-Lenz-Hütte, 1411 m (Verein für Höhlenkunde, 12 Plätze, bewirtschaftet von Ende Mai bis Mitte Oktober; Tel. 0161/181 59 87). Tour 8.

Tuftelalm, 1485 m (privat, im Sommer einfach bewirtschaftet). Tour 51.

Tutzinger Hütte, 1327 m (AV-Hütte, 140 Plätze, bewirtschaftet von Ende April bis Anfang November; Tel. 08857/210). Tour 44.

Untere Firstalm, 1318 m (privat, ganzjährig bewirtschaftet). Tour 28.

Vorderkaiserfeldenhütte, 1388 m (AV-Hütte, 93 Plätze, ganzjährig bewirtschaftet; Tel. 0043/5372/63482). Tour 21.

Wallberghaus, 1500 m (privat, 50 Plätze, nahezu ganzjährig bewirtschaftet; Tel. 0808022/6288). Tour 30.

Walleralm, 1171 m (privat, einige Plätze, im Sommer bewirtschaftet; Tel. 0043/663/85 81 39). Tour 23.

Die Siebenhüttenalm

Watzmannhaus, 1928 m (AV-Haus, 200 Plätze, bewirtschaftet von Anfang Juni bis Ende September; Tel 08652/1310). Tour 5.

Weilheimer Hütte, 1946 m (AV-Hütte,86 Plätze, bewirtschaftet von Mitte Mai bis Mitte Oktober; Tel. 0161/182 12 36). Tour 46.

Wendelsteinhaus, 1725 m (privat, keine Übernachtung mehr, ganzjährig bewirtschaftet). Tour 25.

Wimbachgrieshütte, 1327 m (TVN-Hütte, 74 Plätze, bewirtschaftet von Mai bis Ende Oktober; Tel. 08657/344). Tour 5.

Wochenbrunneralm, 1087 m (privat, 30 Plätze, ganzjährig bewirtschaftet; Tel. 0043/5358/2180). Tour 22.

Wuhrsteinalm, 1140 m (privat, ganzjährig bewirtschaftet). Tour 18.

REGISTER

Das Verzeichnis verweist auf die Seitenzahlen, nicht auf die Tourennummern. Bezeichnungen wie Großer, Hinterer, Gasthaus etc. sind nachgestellt.

TOURENÜBERSICHT NACH SCHWIERIGKEIT

Tour	Einfache Bergwanderungen (auch für Kinder)
11	Sonntagshorn (nur vom Heutal)
13	Rauschberg
14	Hörndlwand
15	Hochfelln
20	Heuberg
26	Rotwand (mit Kindern am besten vom Spitzingsee aus)
28	Bodenschneid
29	Baumgartenschneid
30	Wallberg
31	Hirschberg
32	Roßstein (über den „Altweibersteig")
43	Brauneck
54	Kienjoch
58	Breitenberg
59	Thaneller (von Berwang)
61	Jochberg
64	Laber

Tour	Anspruchsvolle Bergwanderungen (Ausdauer und Trittsicherheit erforderlich)
1	Hochkönig (Normalweg)
2	Breithorn
3	Großer Hundstod
4	Hohes Brett
7	Häuselhorn
8	Untersberg
10	Hinterhorn
12	Hochstaufen
16	Hochgern
17	Kampenwand
18	Geigelstein und Breitenstein
19	Hochries und Spitzstein
20	Wasserwand
21	Pyramidenspitze
24	Brünnstein und Großer Traithen
25	Breitenstein und Wendelstein
27	Brecherspitz
30	Risserkogel
33	Halserspitz
34	Guffert
35	Rofanspitze
36	Hochiß
37	Sonnjoch
39	Birkkarspitze
40	Pleisenspitze
44	Benediktenwand
45	Herzogstand und Heimgarten
46	Krottenkopf
47	Große Arnspitze
50	Hinterer Tajakopf
51	Daniel und Upsspitze
52	Kramerspitz
53	Notkarspitze
60	Namloser Wetterspitze
62	Soiernrunde
64	Ettaler Manndl

Tour	Bergtouren für Geübte (Ausdauer, Trittsicherheit und Schwindelfreiheit erforderlich)
1	Hochkönig (Abstieg durchs Birgkar)
2	Schönfeldspitze
4	Hoher Göll
7	Stadelhorn
9	Birnhorn
10	Großes Ochsenhorn
11	Sonntagshorn (durch das Kraxenbachtal)
22	Ellmauer und Goinger Halt
23	Scheffauer
37	Lamsenspitze
38	Großer Bettelwurf
41	Mittenwalder Höhenweg
55	Große Klammspitze
57	Säuling
58	Aggenstein
63	Hohe Munde
65	Hochplatte
66	Rote Flüh

Tour	Bergtouren mit Klettereinlage (Ausdauer, Trittsicherheit, Schwindelfreiheit und eine gewisse Kletterfertigkeit erforderlich)
5	Watzmann-Überschreitung
6	Hochkalter
32	Buchstein
48	Alpspitze
49	Zugspitze
50	Sonnenspitze
56	Geiselstein
59	Thaneller (von Heiterwang)